JN056159

# 文句は
# あるか！
# 斉藤新緑、
# 爆弾発言！

Saito Shinryoku
斉藤新緑
福井県議会議員

# 新緑さんこそ、純な真の政治家だ
## ——与党も、野党も、彼の後に続け！

船瀬俊介

## 地域起こしの理想モデル！　レストラン〝Ｎｏｒａ〟

### ●高いリピーター率を生む「魅力」

初対面の斉藤新緑さんは、鷹揚（おうよう）にゆったりかまえておられた。

まさに、自然体……。彼が、福井県、自民党の実力者であることは後で知った。

まず、最初の感動は、彼が立ち上げた農園レストラン〝Ｎｏｒａ〟に出会った驚きである。昨今、日本中で、村起こし、町起こしが、叫ばれている。

それぞれの地方自治体は、必死である。少子高齢化に加えて、過疎化が恐ろしいほど進んでいく。限界集落……などといった空恐ろしい気な言葉も、飛び交う。

しかし、これら地域起こしが、すべて成功しているかといえば、そうでもない。

多くが、空振り、空回り、頓挫している……。

地域振興のキモは、一言でいえば〝集客〟である。

客が、人が、集まらなくてはハナシにならない。

では、人に「集まってもらう」には、どうしたらいいか？

そこには、人々が集まって来る「魅力」が絶対に必要だ。

「魅力」とは、チャーム・ポイントだ。

「行ってみたい」「また行きたい」……。このように、人々を引きつける「魅力」を、どれだけ備えているか？　それで、地域起こしの成否が決まる。

とくに観光ビジネスの成功を決めるのがリピーターだ。

成功している観光業、旅館、ホテルなどは、リピーター率が高い。

ぎゃくにいえば、リピーター率の低い業者は、必ず失敗する。

レストラン〝Ｎｏｒａ〟は、いつ伺っても家族連れでにぎわっている。

馴染みのリピーターさんたちが、百姿百態でくつろいでいる。じつに見事な成功例だ。

## ●「光源氏の湯」と「クレオパトラの湯」

では——。

観光ビジネスを成功させる決め手は何か？

それは——センス——なのだ。

センスとは、感性の豊かさである。それは、知性の深さに裏打ちされている。

結論からいえば、新緑さんは、センスがある。そして、頭がいい。

地域起こしの理想的リーダーだ。

だから、地域振興は、リーダーの頭の良さで決まる。

頭が悪いと大変なことになる。悪しき例をあげてみよう。

九州の大分県と宮崎県の県境いに大規模な観光旅館がある。

親族で泊まってズッこけた。それは、大浴場を訪れたときのこと。

男性用の入口看板と暖簾(のれん)には大きく「光源氏の湯」とある。なるほど、「源氏物語」にかけたか……。で、女性用を見て、のけぞった。「クレオパトラの湯」。なんじゃ、こりゃあー!? 光源氏とクレオパトラ……。いったい、何のつながりがある？

せめて「夕顔の湯」などと名付ければ「源氏物語」の世界に思いを馳せることができよ

う。私がさらに「ダメだ、こりゃ」とサジを投げたのが、地下女性風呂の看板を見たとき。「ビーナスの湯」。あっちゃー。この旅館の経営者は、マジで頭悪いわ……。

肩をすくめて苦笑い。あの日の記憶がよみがえる。

センスのあるなしは、つまりは教養のあるなしなのだ。

## ●訪ねるとホッとする空間と料理

〝Nora〟のレストラン室内に入って、だれもが驚くのは、右手の壁一面の本棚だ。そこには、おそらく万冊を優に超える書籍が、整然と並んでいる。

これらは、すべて新緑さんの蔵書だ。

その背表紙の連なり一つ一つ子細に見るだけで、彼の知力の奥深さが伺いしれる。

〝Nora〟の感動は、それだけではない。

まず、一歩、敷地に足を踏み入れて感心したのが、そのエクステリア配置の絶妙さだ。池や椅子、テーブル、遊歩道、竹林……それらが、絶妙の心地好い調和を見せている。はやくいえば、じつにセンスよくレイアウトされている。

私は、思わず新緑さんにたずねた。

「どんな建築デザイナーに依頼したの？」

するど、例の鷹揚さで笑う。

「いやあ……全部自分でテキトーにやったんですよ」

聞くと、ほとんど設計図もなく、ブルドーザーで造園していったという。

まさに、感性とセンスの人である。

さらに、付け足すと、池とガーデンを見下ろすようにカフェテリアがある。そこのインテリアも憎い。イチゴを連想させるカラーリングのお洒落（しゃれ）なソファが並んで可愛らしい。

そう、レストラン〝Ｎｏｒａ〟は、どこをとってもお洒落なのだ。

つまり、都会的な洗練された気配りが、随所に見られる。だから、訪ねるとホッとする。

いつまでも、いたくなる。リピーターがひきも切らないのも当然だ。

さらに、お客を吸引するのが美味なる料理群だ。

私は、とりわけカレーに、はまった。そのコクの深さは、たまらない。

バイキング方式の他の料理やデザートも美味しく、コスパも最高。

集客のもう一つのポイントがこの味覚だ。

美味しいものを提供すれば、〝舌〟が記憶して、客をかってに連れて来る。

## ●福井県、自民与党を率いるリーダー

新緑さんに、なんで自民党なの？　とたずねたら、ゆったり笑顔で答えた。

「……なんでも、やりたいことができるでしょ」

なるほど、野党の政治家では、こうはいかない。万年野党……という言葉がある。

つまりは、主流派になれない、という意味だ。だから、政治決定に関われない。

政治とは、ある意味で、夢の実現だ。心に描いた理想を、具体化する。

そのためには、政権与党にいれば、何でもできる……。

具体的に夢の実現にかけてきた新緑さん、農園〝Ｎｏｒａ〟は、まさに地域起こしの見事な成功例だ。

彼のセンスと実行力こそ、福井政界の牽引力となっているのだ。

## ●〝事件〟で斉藤新緑は一躍、全国区へ

そして――。

今回の〝ワクチン事件〟である。

ユーチューブを見ていたらテレビのニュースで「福井県議がコロナワクチン批判」「打

てば五年で死ぬ」というアナウンスが流れ「骨のある政治家が、他にもいたのか！」と画面を見たら、なんと新緑さん……その人！

そのワクチン批判をＮＨＫから民放まで、ほとんどの局が報道した。

さらに、「朝日新聞」は一面で、彼の主張をとりあげた。

その目的は〝陰謀論〟バッシング――福井県議、重鎮まで「陰謀論に染まっている」というネガティブ・キャンペーンのつもりが……。

「……わざわざ、俺の主張を『朝日』は、一面に詳しく載せて全国に広めてくれた。ありがたい（笑）」

話していると、彼こそ現在の世界情勢をもっとも深く裏まで理解している政治家だ、と確信する。フリーメイソンの成り立ちからイルミナティ、さらにはディープステート、アメリカ大統領不正選挙……エプスタイン島、アドレノクロムまで……。

世界の裏の裏まで、精通している。

それも、レストラン壁一面の圧倒的蔵書を見上げれば、理解できる。

彼の教養と自信を支えているのは、日々の読書、そして勉強である。

そして、ふだんは、そんな素振りをツユほども見せず、飄然（ひょうぜん）としている。

なかなかの、大人である。

「……近い将来に、自民党も、野党もなくなりますよ」

彼は、あたりまえのように言う。米大統領選の混乱、コロナ禍、ロックダウン……加えて、〝闇の勢力〟vs世界市民、つまり〝闇〟と〝光〟の戦い。

その後に、続く〝ネサラ・ゲサラ〟金融大改革、〝メドベッド〟近未来医療が到来する。

新緑さんは、豊富な勉強量によって来る未来世界をはっきり見据えている。

ピシリ筋が通り、揺らぐところは微塵もないから、『文句はあるか！　斉藤新緑、爆弾発言！』というタイトルで本を出版すべきだとヒカルランドの石井社長に進言した。

この肚（はら）の座った男に、文句が言える人間がはたしているのか？　恐らく一人もいまい。

教養、素養こそ政治家の力量だ。新緑さんのそれに改めて感服する。

とにかく、日本人は、本を読まなくなった。大学生などでも、二人に一人は、年に一冊の本も読まない。日本の知性は、まさに地に墜ちた。

同じことは、政治家の資質にも言える。

もっとも、知的レベルで遅れている職業ではないか？

今時、読書家、勉強家の政治家など、新緑さん以外に、聞いたことがない。

それは、野党にもいえる。とくに共産党の方に、ぜひ新緑さんの本を読んでいただきたい。私が、今回〝ワクチン事件〟で痛快だったのが、新緑さんが自民党の〝圧力〟を一蹴したことだ。

「ワクチンは党の方針で決まっている。それに、党所属県議が反対とは」との批判に対し、「個人信条に関わること、自民党とは何の関係もない！」とつっぱねた。思わず、拍手。

翌日には、すぐ福井に応援の電話を入れた。

「朝日」の取材にも新緑さんは、こう答えている。

「全国から『よくぞ言ってくれた！』と賛同の声が殺到しています」

## ●マルクスはフリーメイソン工作員だった

さらに拙著『「波動医学」と宗教改革』（ヒカルランド）は、野党政治家の方々に、ぜひ手にとっていただきたい。

そこで、カール・マルクスは国際秘密結社フリーメイソンの〝工作員〟であった、という衝撃事実を暴いている。共産主義の〝神様〟を一刀両断しているのだ。

マルクスが共産主義インターナショナルを結成したとき設立メンバーは、わずか三人。

マルクスと詩人ハイネ……そして、残りの一人は、ライオネル・ロスチャイルド！

世界屈指の資本家の頭領。「資本主義を打倒せよ！」を党是とする共産党設立メンバーに超巨大資本家が鎮座していた。

マルクスが説いた〝理想の？〟共産主義社会は、ディープステートが目指すＮＷＯ……新世界秩序とピタリ符合する。コミュニズムとグローバリズムは、まさにコインの裏と表なのだ。右も左も、人権と自由を抑圧する「全体主義」を目指す。

その自己矛盾に、左右を問わず、政治家諸氏は、気付くべきだ。

つまりは、〝共産主義〟自体も、国際秘密結社が世界支配するための洗脳道具にすぎなかった。ロシア革命の父レーニンは、死の床で、こう悔いたという。

「……私は血の大洋に生きてきた。取り返しのつかない間違いを犯した。もしも聖フランチェスコが一〇人いたなら、ロシアの民衆は救われたであろう」

聖フランチェスコは「裸足のイエスに従う」と清貧を誓った修道士だ。

美しい歌声で野山を吟遊し、無私の愛を人々に説き続けた一生だった。

政治家に必要なのは――

洗脳による硬直的なイデオロギーではない。

欲望による利己的な金権主義でもない。
斉藤新緑さんには、どこか少年のような面影がある。
純朴で正直に生きて来た方だと思う。
政治も、経済も、そして日本の未来も……。
もう一度、少年の純朴さから歩み始めるときではないか？

（了）

〝アグリツーリズモ Nora〟のようす ①

# こんな汗をかいてきた
## ―「ほっとらいん」の書籍化にあたって―

斉藤新緑

「ほっとらいん」は、私が平成3年（1991年）、34歳で、町議会選挙に初当選して以来、30年間、議会報告として、継続して、地元の支持者、有権者に発行している広報紙です。

それが、にわかに全国ニュースに取り上げられ、大騒ぎになったのは、「遺伝子ワクチンが死を招く」というタイトルで書いた「ほっとらいん102号」が、あろうことか、『週刊文春』に取り上げられ、その広告が出るや否やヤフーニュースのランキングに入って、NHKはじめメディアの知るところとなって、ユーチューバーなどが取り上げたからです。

なぜ、片田舎の県議会議員が発行している広報紙が全国レベルで取り上げられたのか、考えてみると、与野党通して、国会議員、都道府県議員レベルで、新型コロナパンデミックの欺瞞性や新型コロナワクチンの危険性を取り上げた人が誰もおらず、貴重な存在になったからではないかということです。

報道では、それを「陰謀論」として片付け、封じ込めようとしている姿勢が露骨なものもあったが、それが逆に「陰謀論」として従来無視されてきたものを表に取り上げる結果となり、注目度が増したようです。

以来、全国から熱い応援メッセージが届くようになった。特に、私が抹殺されるのではないか心配した方々が、福井県議会事務局にも賛同の応援メールを送っていただいたようで、支持、不支持の割合は9対1という状況でした。

事務所には、SNSを使えない（使わない）高齢者からの長文の手紙やFAXが届きました。

それはまさに、日本の政治に絶望していた人たちからのメッセージであり、「まだ、愛国者がいたんだ。自民党の中にまだ残っていたのか」という渇望していたものを見つけた感涙を感じるもので、身が引き締まるような思いで受け止めさせていただきました。

私がやったことは、目の前で、毒饅頭を食べようとする人に「食べたらあかん」と言っただけで、何か政治的に大上段に構えたわけではなく、人として当たり前のことを言っただけであり、拡散したのはメディアによるものです。

しかし、人々は「真実を語る政治家」、「正義の味方」、「国民のために闘う政治家」、「日本のトランプ」などと、いかに政治に飢えていたのかを感じさせるものでした。

さて、「ほっとらいん」は、まさに、私と有権者（支持者）を結ぶホットラインで、議員という者は、人の代わりに政治に参加している代理人であるから、みんなの声を行政に届けること、そして、私が知ったこと、学んだことをみんなに伝えることが最低の義務であると考え、私の議員活動の基本に据えて取り組んできました。とはいえ、よくまあ30年も続けられたものだとは思っているのですが……。

節目、節目では、ある地方議員の記録として残すために、縮刷版『こんな汗をかいてきた』を自費出版してきましたが、さすがに3期12年分となれば、重くて取扱いに苦労するし、世が世なら出版記念パーティーも可能ですが、コロナ禍では何もできない。

発行以来、記念すべき100号という節目もあって、なんとかしたいと思っていた矢先、このような場面で注目されるようになり、全国各地から「ほっとらいん」の現物を送ってほしいというご要望があり、あろうことか、102号は、3回も増刷するに至りました。

それこそ、北は北海道から南は沖縄まで、届いた感謝のはがきを見て、女房は、「あなたの『ほっとらいん』どこへ行ってるの」と言われるくらいで、随分と「ほっとらいん」も出世したものだと感心しています。

しかし、「ほっとらいん」が本となって出版されるとは、努々(ゆめゆめ)思いませんでした。それが、出版されるに至ったのは、対談し、酒も酌み交わして、気が合う友人ともいうべき船瀬俊介さんが、講演会などでドサ回りしていて、世間を騒がしている県会議員が「斉藤新緑」だと長く気づかなかったようで、それを知って、大変喜ばれて、ヒカルランドの石井社長に「斉藤新緑、爆弾発言、文句はあるか、という本を出せ」と迫ったようです。

だから、何も決まらないうちから表紙だけは決まっていた。

「ほっとらいん」は、私の政治活動の命綱ともいうべきもので、議員活動30年の汗と涙の軌跡、全精力を傾注してきた大真面目なものです。

その通算102号から、本にするために記事を抽出するということは、自分にはできないと思い、話題となった102号をはじめ、最近のコロナ関係を中心に出版社にチョイスしていただいた。

福島原発事故後に書いた「アトムの悲しみ」なども印象に残るし、楽しい「孫への手紙」や「新緑の気ままにト～ク」などもあるのだが、ボリューム上、省かれるのは、やむをえない。

私の政治活動の行動規範であり、その集大成ともいうべき大真面目な「ほっとらいん」、それにしては、タイトルが違いすぎるのではないかなどと思ったりするのだが、人間万事塞翁が馬、船瀬さんや石井社長らのご厚意によって、わが「ほっとらいん」が本になって、世に出ることは、望外の喜びである。

願わくば、この本が、ワクチンを止め、これから政治家をめざす人をはじめ多くの人々に役立っていただければ幸いである。

文句はあるか！ 斉藤新緑、爆弾発言！ 目次



## ●Vol.102（2021年2月22日発行）

● Vol.101（2020年10月1日発行）

●Vol.91（2017年8月10日発行）

●Vol.90（2017年4月5日発行）

●Vol.85（２０１５年12月15日発行）

カバーデザイン　重原隆
本文写真　中谷航太郎
校正　麦秋アートセンター
本文仮名書体　文麗仮名（キャップス）

●Vol.102（2021年2月22日発行）

# 人間の遺伝子が改造される
## 〜コロナより怖い、人類初、遺伝子ワクチンを打つな！〜

## 〈遺伝子ワクチンが死を招く〉

### 世界救世主、トランプの英雄的戦い

海の向こうでは、バイデン不正選挙をめぐって、証拠隠滅を図るＣＩＡと米軍特殊部隊が銃撃戦を繰り広げ、特殊部隊が５名の死者を出しながらも勝利し、ＣＩＡ長官をはじめ、

投降したCIA全員をキューバのグアンタナモ収容所に移送した。

不正選挙集票マシーン、中国製ドミニオンをはじめ証拠書類を押収することに成功したという。

有権者数より多い投票数、中国共産党をはじめとする他国が関与した不正選挙、バイデン親子に渡った中国マネーなど、まさに、アメリカ国家転覆を図る陰謀テロ、国家反逆罪となる重大な犯罪が起きていた。

中国共産党とアメリカ民主党が一体となった共産主義による全体主義をめざすディープ・ステート（闇の支配者）によるテロ選挙攻撃に対し、アメリカ憲法、共和制を守り、アメリカ建国の精神に立ち返る愛国者トランプ陣営の戦いは、まさに、日本を含め全世界が全体主義、監視国家体制になるのか否かの壮大な決戦。

2020年12月8日、「最後の聖戦」で、光の勢力（トランプ陣営）が勝利し、これまでの悪事が暴かれ、アメリカが正義を取り戻す日が来るという報告を聞いて、涙ぐむ兵士と同じ気分になった。

J・F・ケネディがやろうとしたことが実現するのか、しかし、そんな夢のようなことが本当に起きるのか。

光と闇の地球規模の戦い、長く地球を覆ってきた闇の勢力を光の勢力が一掃できるのか、手に汗握る緊張した状況下にあって、主要メディアは、一切、報道することなく、次期大統領はバイデンで決定済みとし、相も変わらず、コロナの感染者拡大、芸能人の不倫だの、市役所の裏から猪が出ただのというニュースをタレ流している。

どのチャンネルを回しても、同じニュースを繰り返し、まさに、闇の支配者の「武器」となって、人々を洗脳し続けている。

## 恐怖心で人を支配し、ワクチンを打たせ、人口を削減する

新型コロナ騒動は、「闇の勢力」が随分前から計画してきたものです。

計画の概要は以下の通りです。

・まずは死亡率が大したことのない新型のウイルスを開発する。

・各国政府、医療機関に指示を出し、あらゆる原因の死者を何でもかんでもこのウイルスによる死者にカウントする。

・マスコミに指示を出し、連日大々的に報道させ恐怖心をあおる。
・ロックダウンを起こし、人間たちを分断する。
・一度騒ぎを収束させ、その後もう一度パンデミックを起こして、2度目のロックダウンを行う。
・恐怖におののく人々に、ワクチン開発成功の知らせを届ける。
・ワクチンを世界中の人々に強制接種させ、それによって人口の削減と個人の支配を完成させる。

## PCR検査はコロナ製造器

世界的に、PCR検査「陽性者」を「感染者」としています。

タンザニアの大統領が、パパイヤ、ヤギ、ウズラの卵、自動車オイルに擦り付けた検体でPCR検査をしたら陽性が出て、即座にWHOの職員を国外追放にして、マスクの使用を禁じた事件がありました。

何を隠そう、この期に及んで、いまだに「新型コロナウイルス」は特定されておらず、その存在すら証明されていないのです。

ＰＣＲ検査は、いったい何を見ているのでしょうか？　それに反応した者を、誰でも、新型コロナウイルス感染者としてカウントしているのです。

## 新型コロナウイルスの死者のカウント法

厚生労働省が各病院に送った通達が流出しています。

「新型コロナウイルス感染症の陽性者であって、入院中や療養中に亡くなった方については、厳密な死因を問わず、『死亡者数』として全数を公表するようお願いいたします」

これはようするに、ＰＣＲ検査で陽性になった患者が死亡したときは、その死因がガンであっても、糖尿病であっても、肝炎であっても、他のウイルスによる肺炎であっても、すべて新型コロナウイルスの死者として届け出をするように、という、無茶苦茶な通達です。

## 新型コロナウイルス　幻想のパンデミック

以上のように、新型コロナウイルスのパンデミックは、何に反応しているのかわからないPCR検査の陽性者を、コロナ感染者とし、その陽性者がどんな死因で死んだとしても、すべて新型コロナウイルスによる死者数とする、という、統計的な手法でつくられた、幻想のパンデミックであるということができます。

統計的操作とマスコミによるプロパガンダ（宣伝）によって、怖い伝染病であるように錯覚させ、人々の恐怖をあおる作戦にすぎないわけです。

ワクチンなど必要ありません。今回のワクチンは人類初の遺伝子組み換えワクチンで、「殺人兵器」ともいわれています。

# 〈ワクチンから子どもを守れ〉

## ワクチンは効かない、必要ない

インフルエンザの感染者数は、2019年は推定約1000万人で、直接的および間接的にインフルエンザによって生じた死亡を推計する、超過死亡者数は、約1万人にも至っています。

新型コロナは、これより少ないにもかかわらず、インフルエンザより恐ろしい病気なので、特別に対策をしなければならない、といわれています。

新型コロナとインフルエンザとの違いは、インフルエンザには、ワクチンがあるが、新型コロナにはない、といわれていることです。

しかし、インフルエンザワクチンも新型コロナワクチンも予防効果はありません。

新型コロナはウイルスが鼻や喉などの粘膜細胞に感染して発病します。新型コロナワクチンを接種しても血液中にはウイルスに対する抗体ができ免疫がつきますが、喉や肺など全身には抗体はできず、免疫はつきません。また、血液中の酸素や栄養素は血管から血管外に染み出し、全身の細胞に行き渡ります。

しかし、抗体は酸素や栄養素より大きさが大きいので血管から染み出して血管外に出ることはありません。そのため、喉や鼻や肺の粘膜細胞にはワクチンによる抗体が存在しません。ですから、ワクチンを接種しても新型コロナウイルスの感染を予防することはできず、発症を予防することもできないのです。そして、喉や鼻や肺の粘膜細胞で増殖したウイルスは、通常は、血管内に侵入することはあります。

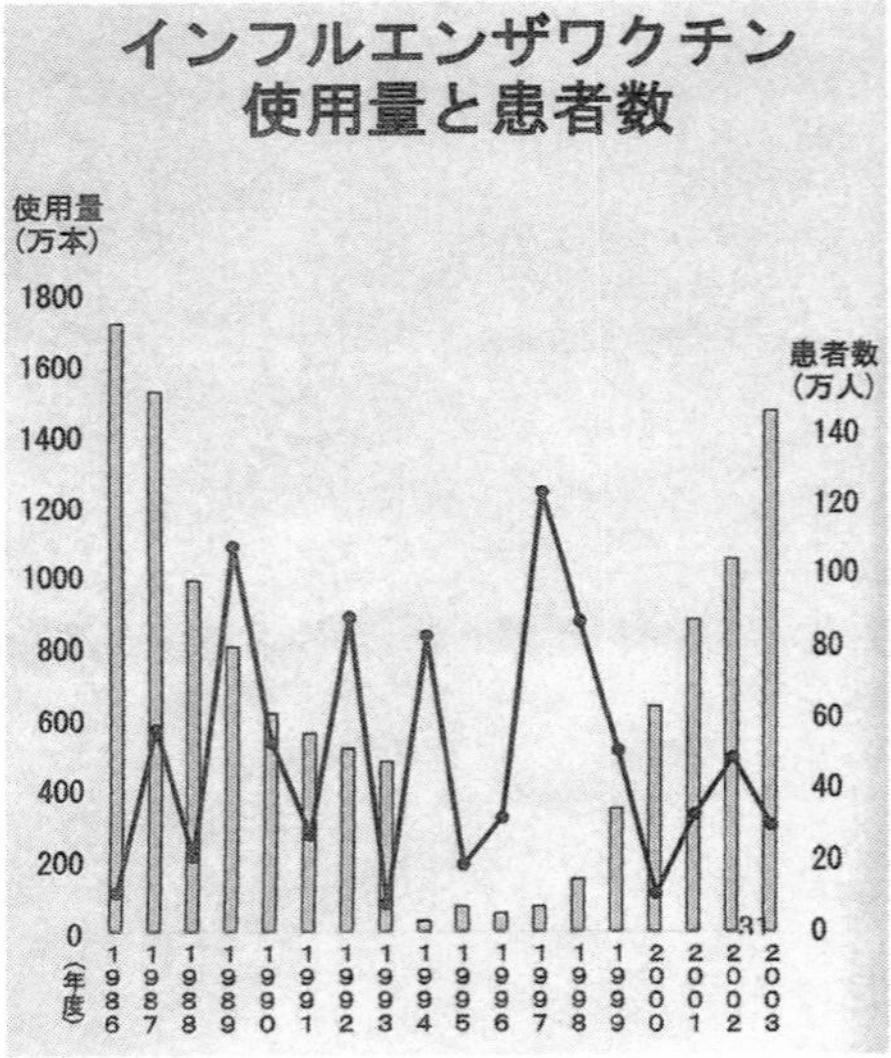

インフルエンザワクチン
使用量と患者数

使用量（万本）
患者数（万人）
（年度）

しかし、そのウイルスをワクチン抗体で、処理できることは、証明されていません。

厚労省と、ワクチンの承認を行っているＰＭＤＡ（医療品医療機器総合機構）と、ワクチンメーカーは、ワクチ

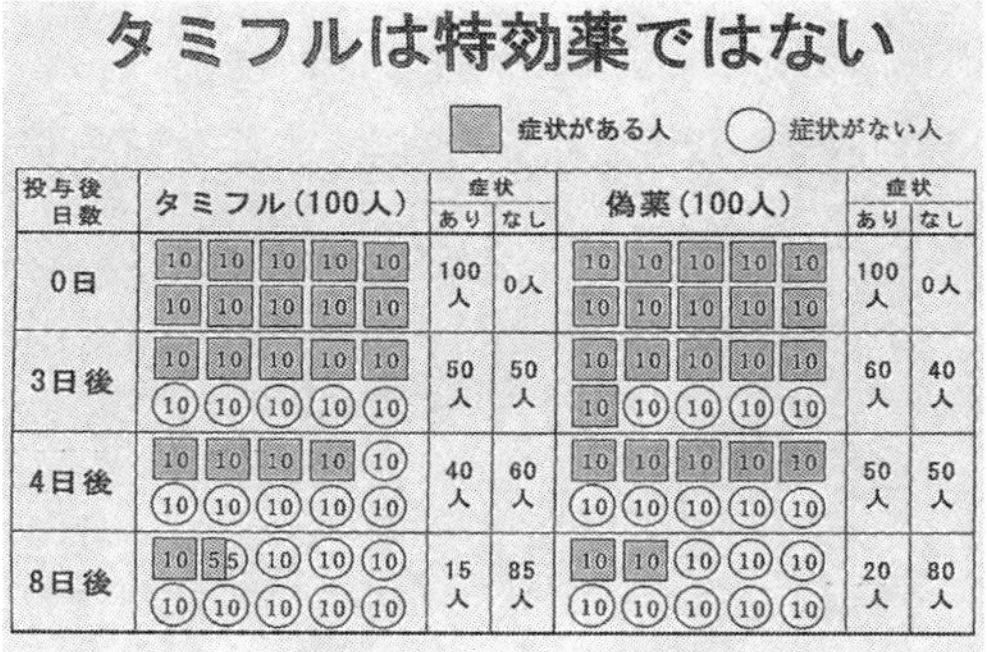

## タミフルは特効薬ではない

■ 症状がある人　○ 症状がない人

| 投与後日数 | タミフル（100人） | 症状 あり | 症状 なし | 偽薬（100人） | 症状 あり | 症状 なし |
|---|---|---|---|---|---|---|
| 0日 | ■10 ■10 ■10 ■10 ■10 / ■10 ■10 ■10 ■10 ■10 | 100人 | 0人 | ■10 ■10 ■10 ■10 ■10 / ■10 ■10 ■10 ■10 ■10 | 100人 | 0人 |
| 3日後 | ■10 ■10 ■10 ■10 ■10 / ○10 ○10 ○10 ○10 ○10 | 50人 | 50人 | ■10 ■10 ■10 ■10 ■10 / ■10 ○10 ○10 ○10 ○10 | 60人 | 40人 |
| 4日後 | ■10 ■10 ■10 ■10 ○10 / ○10 ○10 ○10 ○10 ○10 | 40人 | 60人 | ■10 ■10 ■10 ■10 ■10 / ○10 ○10 ○10 ○10 ○10 | 50人 | 50人 |
| 8日後 | ■10 ■5○5 ○10 ○10 ○10 / ○10 ○10 ○10 ○10 ○10 | 15人 | 85人 | ■10 ■10 ○10 ○10 ○10 / ○10 ○10 ○10 ○10 ○10 | 20人 | 80人 |

**タミフルで症状の改善が４日から３日に１日早くなる、と言われている。しかし、タミフルを飲んだ人全員ではない。**

ンにより、発症や重症化や死亡を予防する、作用機序を公表していません。

前ページのグラフは、インフルエンザワクチンの使用量と患者数を見たものですが、関係ないことを示しています。上の表は、インフルエンザ特効薬といわれている「タミフル」の効果です。一言でいえば、ほとんど効果がないということです。

また、インフルエンザもコロナも変異が速いので、ワクチンができる頃には、型が合わなくなっており、効果がありません。

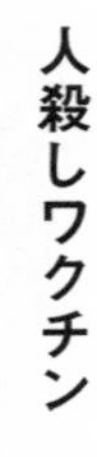

日本では、真実のニュースが一切報道されることなく、「コロナ対策のためにはワクチンを打つべき」という漠然とした世情に流されています。

しかし、このDNAワクチンは、人類初の人間に対する遺伝子組み換えワクチンなのです。

これまでのワクチンとは性質がまったく違います。

「何よりも人口が先だ。現在、世界の人口は68億人である。これから90億まで増えようとしている。そんな今、我々が新しいワクチン、医療、生殖に関する衛生サービスに真剣に取り組めば、およそ10～15％は減らすことができるだろう」

ビル・ゲイツは、人口を削減する目的でのワクチン活用を明言しています。

## 〈打つと5年以内に死ぬ〉

新型コロナウイルス、パンデミックは、人々の恐怖心をあおり、ワクチンを接種させることが目的でした。問題は、ワクチンを打たせることで、いったい何を実現するのかです。

これには大体3つの説があります。

1. ワクチンに毒を入れる、もしくはワクチンの副反応で多くの人を殺す。
2. ワクチンに不妊となる薬を混入し、出生数を減らす。
3. ワクチンにマイクロチップを混入し、人々を管理する。

1と2は人口の削減のため、3は人間管理の強化のために行われます。

ビル・ゲイツは、「ワクチン完成まで、ロックダウンを続けろ」と平然と暴言を吐いています。

安倍内閣では、米ファイザー社などと契約し、コロナワクチン1億2000万回～1億5000万回分の一括買い上げを決定しました。閣議決定での独断専行で、国会審議すらされていないものです。

これら5種類のワクチンは、すべてが人類未体験の遺伝子ワクチンで、安全性も効果も何もわからないものです。さらに、驚愕なのは、新型ワクチンにより、国民に被害や副反応が発生したとき、製薬メーカーは、一切の法的責任を免れるという特約が交わされていることです。

ワクチンは、これまでも数多くの被害、事故、副反応の悲劇を起こしてきました。無惨な死亡事故もあとを絶たず、後遺症に苦しむ被害者も多い。当然、製薬会社が製造責任を負い、被害者の救済や補償など全責任を負わなければならない。

## ■高齢になるほど予防接種の副反応で急死している

| 年齢 | 人数（割合） |
|---|---|
| 0〜9歳 | 3（2.3%） |
| 10〜19歳 | 1（0.8%） |
| 20〜29歳 | 0（0.0%） |
| 30〜39歳 | 3（2.3%） |
| 40〜49歳 | 1（0.8%） |
| 50〜59歳 | 4（3.1%） |
| 60〜69歳 | 15（11.5%） |
| 70〜79歳 | 38（29.0%） |
| 80歳以上 | 66（50.4%） |

新型インフルエンザワクチン
接種後の死亡報告数

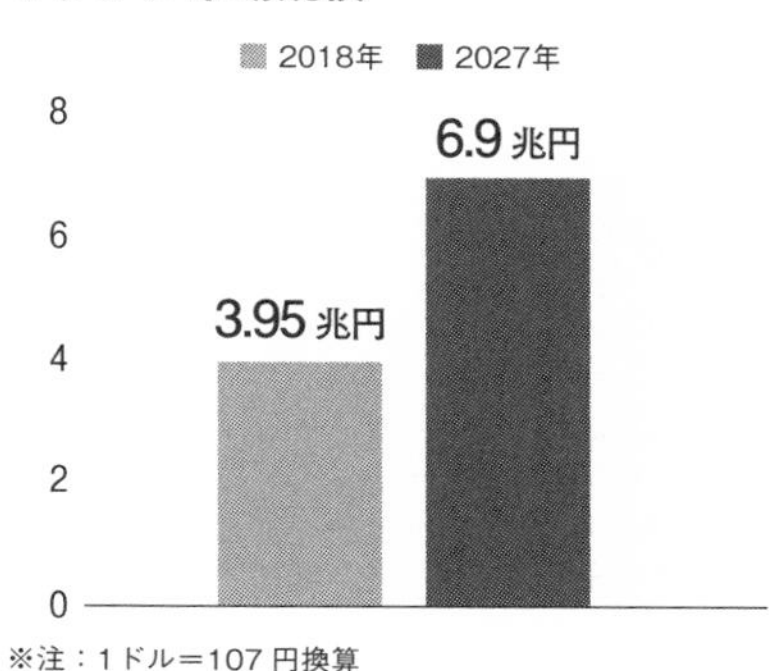

ワクチンの市場規模

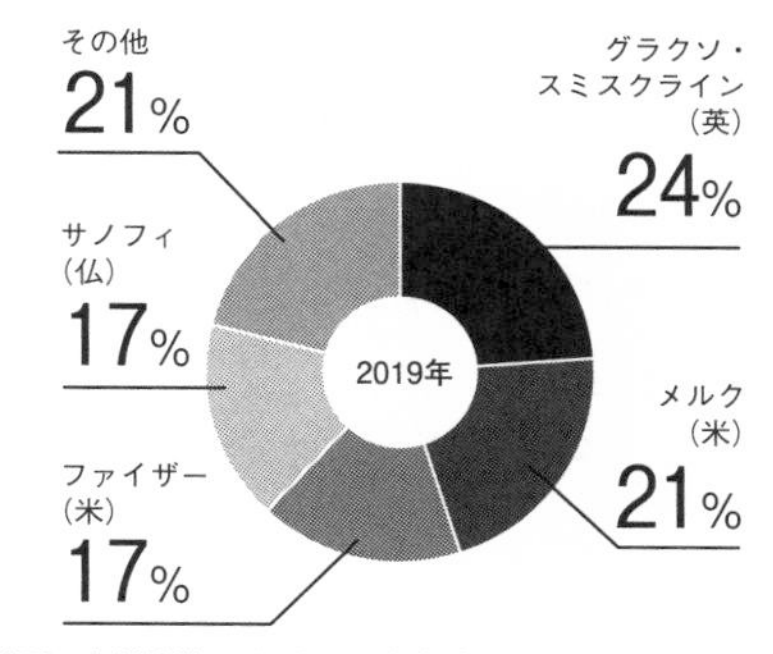

2019年のワクチン市場の企業別シェア

### ワクチンの副反応

**①ショック、アナフィラキシー**（急性アレルギー、呼吸困難などで死亡）、**②急性散在性脳脊髄炎**（発熱、腹痛、けいれん、運動、意識障害など）、**③ギラン・バレー症候群**（手足がマヒする神経症状）、**④けいれん**、**⑤肝機能障害**（黄疸など肝機能数値の異常）、**⑥ぜんそく発作**、**⑦血小板減少紫斑病**（内出血による紫斑、鼻血、口内粘膜出血など）、**⑧血管炎**（アレルギー性紫斑病など）、**⑨間質性肺炎**（呼吸困難、発熱、咳）、**⑩脳炎・脳症・脊髄炎**（中枢神経が感染に侵される）、**⑪スティーブンス・ジョンソン症候群**（致死率約四割、サイトカイン・ストームで死亡）、**⑫ネフローゼ症候群**（腎臓破壊から起こる）。

これが、製造物責任法の鉄則である。が、今回の新型コロナワクチンについては、製薬会社は一切責任を免れ、政府が一切の責任を負う。つまり、私たちの税金でワクチン犯罪の尻拭いをするということだ。

新型コロナに対する遺伝子ワクチンは、ワクチンというより、人間の遺伝子組み換えであり、効果があるのか、どんな副反応があるのか、まったくわからない。そんな商品を大量購入する契約を結ぶ……。正気の沙汰ではない。

「米製薬大手ファイザーなどが申請した新型コロナウイルスのワクチンについて、薬事承認の可否を審議する厚生労働省薬事・食品衛生審議会の専門部会は12日、緊急時などの条件の下で通常よりも手続きを簡略化できる『特例承認』による承認を了承した。

同社のワクチンは12日に国内に到着。17日にも医療従事者約1万人を対象にした先行接種が始まり、国内でのワクチン接種が本格化する」

海外では、多くの死亡者を含む、異常な数の副反応が報告されています。

そして、勇気ある医師の発言が相次いでいます。

「ワクチンは数百万の大量死を招き、人口が半減する」、「ワクチンを打てば、5年以内に死ぬ」。

ワクチン接種を強要されたりした場合のためのワクチン拒否の文例

・私はワクチンに何が含まれているか知りません。
・私はワクチンが安全だとは信じていません。
・多くのワクチンに有毒なアジュバンド（免疫補助薬）および有害な異物がふくまれていることが確認されていることを私は知っています。
・ワクチンにアジュバンドを入れる目的は免疫系に「ショック」を与え、極端な反応を起こさせることであり、これにより生物学的な「危機」やストレス、免疫系、血液、全身への損傷を引き起こすことを私は知っています。
・多くのワクチンは効果がなく、実際には予防するとされている病気を引き起こしていることを私は知っています。

・ワクチンを原因とする死亡および傷害の統計や情報は、毎年数百億円の医療費広告を受け取っているメディアが抑圧していることを私は知っています。
・ワクチンが原因で年間数十万人が死亡していることを私は知っています。
・世界中で行われるワクチン実験によって、数万件の不妊症やポリオ、自閉症、その他の病気や深刻な副反応を引き起こしたことが報告されていることを私は知っています。
・ほとんどのワクチンは安全性に関する検査がなされておらず、安全性は証明されていないことを私は知っています。
・現在の法律のもとでは、私に薬を投与するためには、あらゆる医師および医療従事者が私の同意を得なければならないことを知っています。ここに私は同意を拒否し、投与を却下します。

# 孫への手紙　～光が闇を照らすとき～

昨年は、お母さんのお腹にいて、お母さんと一緒に、ヨイショ、ヨイショとイチゴを収穫していましたが、今年は、お母さんにおんぶされて、収穫したイチゴをチューチュー吸っています。

本当は、イチゴという作物は、既存の慣行農業（化学肥料と農薬）で栽培すれば、農作物の中で一番農薬を撒かなければ育てられない作物です。だから、危ないし、苦みがあって、食べられたものではないのです。

お母さんは、限りなく、農薬や化学肥料を使わないように心がけ、種も、日本古来の原種を使っています。お前の離乳食のほうれん草は、完全無農薬ですから安心です。

爺も、大根の葉っぱが欲しかったのですが虫がいっぱいで、畑から、持って帰れないということでした。土のバランスがとれるまでには、まだ時間が必要です。

## テレビのある部屋

朝起きてから寝るまで、お前がいる部屋はテレビのある部屋です。

爺は、それが気になって仕方ありません。

「テレビを見る者は阿呆、新聞を読む者は馬鹿」と、誰かが言っていましたが、テレビはこの地球上で最も強力なマインドコントロール、負のエネルギー宣伝メカニズムの一つであるため、テレビを見ないようにする必要があります。

彼らは私たちの心をプログラムします。

「戦争は平和です。自由は奴隷です。無知は強さです。真実は革命です」

映像は、どのようにでも作れます。映画だと思えば、わかるでしょう。

あたかも、バイデン大統領が就任して、大統領令を出しているように報道されていますが、大統領就任式も録画で、大統領執務室は、スタジオで、署名は白紙で、しかも、バイデン親子は、国家反逆罪で、逮捕されており、たぶん、この世にはいません。

では、テレビのバイデンは誰でしょうか？　昔から影武者というのがありました。これは、最近、「ダブル」というようです。それから、クローンが用意されるようです。そして、映画でも出てくるゴム仮面をかぶって変装するというのがあります。大統領就任式に出ていた人の多くは、役者やゴム人形でした。

かつて、9・11テロで、旅客機がツインタワーに突っ込んだ映像がありましたが、あれはCG（コンピューター・グラフィック）で、実際には、突っ込んでいないのです。ウソを信じさせ、人を誘導します。

悪い人たちが所有するテレビや新聞は、人々をだますための心理兵器として利用します。これを洗脳といいます。そして、それが、常識とされているのです。

知らず知らず、テレビに影響され、誘導されるのです。

## ピラミッド型の支配構造

お前が生まれてくるとき、「爺がついてるから、大丈夫だ。安心して生まれて来い」と言ったのですが、実は、何の根拠もなく、お前たちの時代は、『人間牧場』のように、家畜化され、奴隷化される社会になるのではないかと心配でたまりませんでした。

特に、生物兵器としての「新型コロナ」が仕掛けられ、マスコミが連日大騒ぎをして、多くの人々を恐怖のどん底に陥れ、最初から、ワクチンや治療薬の開発を求めるような論調があったからです。

そのワクチンこそが、「IDチップ」が体に埋め込まれるワクチンで、動物の耳にタグがつけられるような人間家畜化計画が実行されると思ったからです。

爺は、ちょうど、議員になって、丸30年を迎えようとしています。

多くの人に応援してもらって議員になったので、みんなの役に立つために、誰よりも勉強して、他の議員に負けないように頑張ってきました。

しかし、身のまわりの問題や課題を考え、なぜ、こういうことになっているのか、考えると、究極のところ、世界支配構造に行き着きます。

その世界支配者たちは、国の通貨発行権を奪い、各国に中央銀行をつくり、BIS（世界中央銀行）でカネを吸い上げて世界を支配してきました。

また、本当の意味でのノーベル賞が与えられるべき、人類の平和、幸福のための発明が、支配者の利益を妨害するものとして、発明家もその技術も闇に葬られました。ニコラ・テスラのフリーエネルギーや小保方晴子さんのＳＴＡＰ細胞など、典型です。

本来、人類にとって、地球にとって、素晴らしい技術や方法があるのに、世界の支配者が「悪魔」、闇の支配者であるがゆえに、人類が奴隷化されているのです。

しかし、それが、わかったとしても、爺の力の及ぶ範囲ではなく、ずっと、無力感に打ちひしがれていました。

「知らぬが仏」という言葉がありますが、知ったからといって、どうにもならないことは、最大のストレスでした。

多くの人は、教科書を正しいものとして覚え、その記憶力において成績優秀で、試験に合格して、社会的地位を獲得します。基本的に、人は学校を出て仕事を始めると、もう好奇心を持とうとせずに、何も学びません。朝、起きたら、職場に行き、帰宅して家族と過ごす、という人生で満足してしまいます。また、真実を追求することにのめり込むと職を失うのでは、という保身にも走ります。さらに、世界が自分の考えていたものと違うとわかれば、価値観も壊れてしまいます。

爺は、真実を知りたいタイプのようです。たとえ、それがどんなに恐ろしい真実でも。

## 真実を知ることは、物事の仕組みを知ること

この世の仕組みは、ピラミッド型になっていて、私たちは、三角形の一番底辺にいます。頂点が世界支配者です。

その世界支配者が、「善」か「悪」か、といえば、「悪」なのです。地球45億年は、ずっと「悪魔」、闇が支配してきました。

この闇の支配者は「カバール」とか、「ディープ・ステート」とか呼ばれてきました。彼らは本当の悪魔です。

本来は、国が通貨を発行し、予算を組み立てれば、国民から税金を徴収する必要もなく、国に借金ができるはずもありません。

しかし、彼らは、国の銀行などといって、彼らが所有する「株式会社中央銀行」を

設立して、国が借金して通貨を発行する仕組みをつくり、おカネが自分たちに集まってくるようにしました。

そのおカネで、企業も政治もメディアもすべて支配されてきました。

また、毎年、世界では100万人、日本では3万人もの子どもが誘拐され、行方不明になっています。

悪魔崇拝者（カバール）の「儀式」に子どもたちが「生贄（いけにえ）」として供され、性的・肉体的に虐待されています。

「アドレノクロム」とは、まさに、その生き血を使った「若返り」商品で、飲用しなければ一気に老化するので麻薬のように常習しなければならなくなります。

それを、教皇や女王や政治家やセレブやハリウッドスターなど、多くが愛用していたというから驚きです。

東京ディズニーランドの地下からも、昨年（2020年）5月5日、2000名余りの子どもが救出されています。

セントラルパークの地下からは1万人が救出されたようです。

世界中の地下には、誘拐された子どもたちが、閉じ込められていました。その中には、バチカンやホワイトハウスの地下が含まれていると聞けば、闇の深さがわかるでしょう。

でも、トランプチームが、カバール掃討作戦で、悪人退治をしてくれており、すでに、世界中で300万人ともいわれる大量逮捕、処刑が実施されているようです。

## 〈愛と平和と光の新地球時代がやってくる〉

### 素晴らしい時代がやってくる

バチカンからイスラエルに通じる地下道から発見された金塊は、世界のGDPの4万年分、3垓(がい)円もありました。ディープ・ステートが、世界から搾取し、独占していたマネーが分配されるようで、日本国民一人あたり6億円と見積もられます。

ベーシック・インカムといって、一人、毎月数十万円、最低所得補償給付金がもらえるようになります。グローバル通貨リセットで、もうおカネのために働くようなことはしなくてよくなり、おカネから解放されます。消費税以外の税金はなくなります。年金の支払額も増額されます。
ディープ・ステートに邪魔されて日の目を見なかったフリーエネルギー、反重力、根本治療など国家機密、６万件の特許が解除されます。２００歳まで生きることも可能になるかもしれません。

真実が明らかになります。

お前が生まれてきて、こんな報告ができるなんて夢にも思いませんでした。議員になって30年、爺は、こんなに心が晴れて、軽くなった気分は隠しきれません。お前と楽しいことをいっぱい考え、遊びましょう。

# 新アメリカ共和国誕生と金融リセット

## アメリカ株式会社

1871年、アメリカ政府の狡猾な手段によって、クーデターが起こり、アメリカ合衆国が法人化されました。これが、株式会社アメリカです。

ワシントンDCという外国法人が、アメリカという国家と国民から財産を奪い続けてきました。これによって、合衆国の市民は、ワシントンDCを中心とした会社の所有物として扱われることになりました。

都市国家に移行するとき、バチカンから融資を受け、その際に、ロンドン銀行を経由しましたが、このとき、コロンビア特別区の財産をすべて、外国法人であるワシントンDC

に譲渡しています。この法人が国民を支配し、市民の権利を奪いましたが、誰も気づきませんでした。

ワシントンＤＣは、１８７１年に制定された法の成立により、ロンドン市に従属するワシントンの支配下にある法人として正式に設立されました。

企業は、大統領によって運営されています。だから、この国で最高の権力を持つと思われる人物を「大統領＝社長」と呼ぶのです（プレジデント＝社長）。

しかし、実際には、大統領は、中央銀行家や多国籍企業の飾りにすぎず、この国を本当に支配し、主導権を握っているのは中央銀行と多国籍企業です。ワシントンＤＣは、ローマ法のシステムの下で、米国憲法によって確立された制限の外で運営されてきました。

## 世界三大法人都市

バチカン市国が、ローマやイタリアの一部ではないのと同じように、ロンドン市国は、ロンドンやイギリスの一部ではありません。同様に、ワシントンＤＣは、それが支配するアメリカ合衆国の一部ではありません。

これら3つの事業体の目標は一つで、それは、主権国家が古い世界秩序を取り除き、カバール（悪魔崇拝者）の鉄の拳の下で、一つの政府支配の下で、新しい世界秩序を導くことです。


これらの主権を持つ企業体は、独自の法律とアイデンティティ、独自の国旗を持っています。アメリカ、カナダ、イギリスの政府はすべて王室の子会社であり、アメリカの連邦準備制度理事会（ＦＲＢ）もそうなのです。イギリスの君主も王室に従属しています。

世界の金融・法制度は、ロンドン市から王室がコントロールしており、世界の権力の座にあります。このピラミッドこそ世界支配の構図です。


日本は、ディープ・ステート第三位の国だといわれています。

この世界の闇の支配構造ともいうべきピラミッドを壊さなければ、人類の奴隷化は永続化されてしまいます。

この構図の中には、にわかには信じられないでしょうが、地球外生命体や人間とのハイブリッド（レプティリアン、トカゲ人間）なども存在しており、トランプ大統領が組織した「宇宙軍」が大きな役割を果たしているようです。

すでに、バチカン（ローマ教皇）、バッキンガム宮殿（エリザベス女王）、ホワイトハウス（歴代大統領）など、地下道から子どもたちが救出され、主要なエリートは逮捕、処刑済みのようです。

## アメリカ合衆国は終わっていた　～アメリカ株式会社の倒産～

トランプ大統領は、２０１８年国内外が関与する選挙妨害、不正に関する執行命令に署名しました。

そのとき、ワシントンＤＣの資産をどのように差し押さえられるかに着手し、違法な盗みを続けた彼らに対し、軍は資産を差し押さえました。

トランプ大統領の行政命令は、実際には、ワシントンＤＣの沼、カバール（ディープ・ステート）に向けられたものでした。法人会社としての法的終了のための書類は18ヶ月前にロンドンで提出されました。米国法人は、2021年1月19日、午後11時59分の時点で法的にシャットダウンされました。

「外国と連携し、不正選挙で票を盗み、知っていながら宣誓する罪を確定させる」ため、大統領就任式が必要でした。アメリカ株式会社が倒産したことは、新しい法人のメンバーには知らされませんでした。彼らは、執行力ゼロ、名目だけの大統領、副大統領です。

破産した企業の資産の唯一の受益者は、アメリカ合衆国共和国となっています。だから、トランプは、外国の地、ワシントンDCには、二度と戻りません。新たな場所で、新共和国大統領として、登場するでしょう。かつては、その日が3月4日だったようです。新しい、ホワイトハウスは、フロリダになるのでしょうか。

## アメリカの再生と今後起きること

○　デグラス（機密情報開示）。世界の200以上の国に放送される予定。

○　ＧＥＳＡＲＡ（ゲサラ）法の発表。今までの地上を根底から変えるシステムで、経済のみならず、立法、司法、あらゆる政府機関が、そこに住む人のためになるようになる。新しい地球となる。

○　地球の莫大な資産が開放され、中央銀行の役割も近い将来なくなる。

○　日本も今月、来月の早い時期に、ＮＥＳＡＲＡ（ネサラ）法を発表する。まずは、ベーシック・インカムから始まる。これにより、１２０日以内に議員選挙を実施する。

○　今月の近いうちに、みんなで、トランプ大統領に会える。

○　来月以降には、ジュニアの名前が取れたジョン・Ｆ・ケネディに会える。

○　今後、今まで、亡くなっていたと思われてきた、多くの人々が、表に現れる。

# 来るべき世界の新たな経済システム ～NESARA（ネサラ）／GESARA（ゲサラ）～

## 新たな経済システム

グローバル通貨リセットを介して、アメリカ共和国を復元、量子金融システムが、世界の銀行システムを完全に管理します。これを実現する一連の法律は、「国民経済安全保障改革法」。その英語の頭文字をとってＮＥＳＡＲＡ（ネサラ）と呼ばれています。この改革法を、アメリカだけではなく、世界中に広げたものが「世界経済安全保障改革法」、略称ＧＥＳＡＲＡ（ゲサラ）です。

この改革法は、各国の内情によってそれぞれ異なったものとなり、日本で行われるときには、ＪＥＳＡＲＡ（ジェサラ）と呼ばれることになります。

## 現在の金融経済システムの問題点

現行の資本主義金融経済システムは、ピラミッド型の経済システムをつくり出しています。ピラミッドの底辺には賃金労働者がいて、その上に所属する会社や組織があります。そのさらに上には、資産家や投資家、大会社のオーナーなどがいて、そのさらに上にグローバル金融資本家が控えています。

もちろんピラミッドの上に行くほどもうかるわけですが、実はこの各国のピラミッドの再上層部にいるグローバル金融資本家というのが、トランプ大統領が言うところのディープ・ステートと呼ばれる支配者たちです。

この人口の1％ほどのディープ・ステートたちが世界の富の90％以上を独占する構造になってしまっていたわけです。

彼らディープ・ステートたちは、それぞれの国に属するわけではなく、横につながっていて、各国の国民たちから富を搾取していたわけです。

彼らはピラミッドの頂点にいますので、黙っていてもおカネが入ってくるのですが、それ以外にも金融経済システムにさまざまな細工をし、何もしなくても自分たちに富が転がり込んでくる仕掛けを施していました。主な仕掛けは、次の4つです。

1. 管理通貨制の下で、各国政府が通貨を発行した際の通貨発行益
2. 銀行が融資をして企業が投資する信用創造システム
3. 株式の売却益や、為替の値動きによる利益
4. SWIFT（スイフト）（国際銀行間通信協会）システムによる国際間の資金移動

これらはどれも現代資本主義の根幹をなす重要なシステムですが、これらのシステムの要所要所に細工を施し、資金が自動的に自分たちの懐に転がり込むようにシステムが改変されていたのです。

これによって、ディープ・ステートたちは労せずして世界中のおカネの90%以上を懐に入れ、残った人々は残りの10%をめぐって争いを繰り広げます。

一般の人々は、税金や、健康保険、生命保険や住宅ローンなどの各種負債によってがんじがらめにされ、生活していくために、やりたくない仕事を我慢しながら、朝から晩までしなければならない世界になっていました。

これらの人たちは、ディープ・ステートというご主人様にお仕えする債務奴隷であったといえます。

これに対して、NESARAの発動後は、フラット型の社会構造が実現します。

## フラット型社会構造

このシステムの主な特徴は以下の通りです。

1. 金銀本位制に基づくデジタル通貨を発行
2. 量子コンピューターで世界中のおカネの流れを一元管理
3. 通貨リセットにより、ディープ・ステートの資産を没収

4．没収した資産をベーシック・インカムで国民に分配

まずは資産的裏付けなしに無制限にお札をすることができる現行の管理通貨制を廃止し、金銀本位制に基づく新通貨を発行します。

この通貨は紙幣やコインではなく、デジタル通貨となり、この通貨は量子コンピューターで一元管理されます。

現在のように、資金の流れが不明になったり、資金を横領したり横流しすることはできなくなるわけです。

ちなみにこの量子コンピューターは、地球の周回軌道を回る宇宙ステーション上に設置され、宇宙空間から地球上のおカネの流れを監視するそうです。

通貨は量子コンピューターから個人の端末に直接発行されるため、中央銀行をはじめとする銀行はすべて不要となります。

この全世界における通貨の切り替えは、グローバル通貨リセットと呼ばれます。

ＧＣＲ（グローバル通貨リセット）のときは、ディープ・ステートたちの持っている通貨は切り替えることができず、そのまま資産没収となります。この没収されたディープ・ステート資産を、ベーシック・インカムを用いて、一般国民に分配します。政府から毎月数十万円のおカネが、国民一人一人の口座に直接入金されるのです。

これと同時に、国民がこれまで銀行やカード会社、保険会社などから借りていた各種ローンもディープ・ステート資産で返済され、帳消しとなります。

現在の経済においても、もしもディープ・ステートが90％のおカネを自分たちで占有していなければ、貧乏な人たちは存在しないはずです。この残り90％の資金をみんなで分配することによって、世界中の人たちが必要なものをすべて買えるようになります。

基本的にはこのベーシック・インカムだけで、生活することができるようになります。何もしなくても食うに困ることはなくなるというわけです。

しかし、他の人々のために何かしたい、という方は、もちろん働くことができます。

その場合は商品やサービスを提供する人が、希望する人に直接提供し、相手の方から直接対価をいただく形が基本となります。

国民すべてフリーランスになった感じですね。

もちろん、必要とあらば、自発的に会社をつくって組織的な活動をすることもできます。

しかしこの場合は、以前のように食べるためにしかたなく働くというのではなく、自分がやりたいことをやるために、力を合わせるという形になります。

何もしなくてもベーシック・インカムで食べていけるのですから、仕事をするのは自発的な活動ということになるわけです。

現在のような大企業は存在できず、個人もしくは小規模の集団で働くという形態になるでしょう。上司から命令されて働くということはなくなり、組織内の人間関係もフラットな形態となります。

## 新緑の気ままにト～ク

子ども／ドロシー・ロー・ノルト

批判ばかりされた子どもは、非難することをおぼえる
殴られて大きくなった子どもは、力にたよることをおぼえる
笑いものにされた子どもは、ものを言わずにいることをおぼえる
皮肉にさらされた子どもは、鈍い良心のもちぬしとなる
しかし、激励をうけた子どもは、自信をおぼえる
寛容であった子どもは、忍耐を　おぼえる
賞賛をうけた子どもは、評価することをおぼえる
フェアプレーを経験した子どもは、公正をおぼえる
友情を知る子どもは、親切をおぼえる
安心を経験した子どもは、信頼をおぼえる
可愛がられ抱きしめられた子どもは、世界中の愛情を感じとることをおぼえる

ある詩に出合いました。それは、ドロシー・ロー・ノルトというアメリカの家庭教育学者のつくった「子ども」という詩で、スウェーデンの中学校の社会科の教科書に収録されております。

これがきっかけで、この本が一躍注目されました。しかし、この教科書の本当の素晴らしさはこの詩だけにあるのではありません。

社会をつくり上げていく主権者としてどう生きていくかということを、スウェーデンの社会が抱える実際の問題を示した上で、問題解決をしていく方向性を自ら考えていくようにつくられているところです。

1994年のスウェーデン文部省「学習指導要領の概要」には、学校の任務は「生徒に、将来を築くという困難な事業への楽観的な展望を与えること」とあるそうです。

スウェーデンという国の教育に対する姿勢がよく表れています。

教科書も、法律と犯罪、人間関係、経済、自治体、社会保障というテーマを取り上げ、「あなた＝（子どもたち一人一人）」に呼びかける形になっています。

「あなたはどのように社会参加するか」「あなたは政治や社会制度をどのように利用する

か」というように、子どもたちが将来どうやってそれに立ち向かっていけばいいのかを共に考えていくようになっています。テーマに沿った課題が提示され、子どもたちはクラスの中で話し合い、自分の意見を発表していきます。

いじめの問題についても、権威的グループ、民主的グループを例示し、そこから課題をいくつか設定して話し合いながら意見を出し合い、深めていく構成になっています。

日本の道徳教科書が読み物資料から、登場人物の思いやいじめる側の思いなどを考えさせていくのに対して、哲学的なアプローチを通して、子ども自身が自分の意見を持つことに重点を置いています。

社会は自分たちの手で変えられることを学んでほしい、社会の一員として、社会を築き、担い、より良く変えていく、成熟した市民に子どもたちになってほしいという思いがこの教科書にはこめられています。

## 「寝ても覚めてもトランプ、トランプ」

アメリカ大統領選など、民主党であろうが共和党であろうが、どちらが選挙資金を集めたか、というようなイベントで、正直、まったく興味がなかった。

しかし、トランプ大統領が戦っていたのは、アメリカ大統領選ではなく、地球45億年を支配してきた悪魔崇拝者、闇の勢力だったと知って、そんな夢のようなことが、本当に起きているのか、信じられなかったが、それが真実と知って、いてもたってもいられなくなった。

一兵士、光の戦士として、全精力を捧げて、連帯して闘うことを決意した。

ケネディ、その前からずっと、闘い続けてきた人たちがいた。何十回も命を狙われながら。もちろん、命を奪われた人もいる。

光と闇の地球大戦争に光が勝利した。素晴らしい時代が来る。

カネに支配されない自由で平等な社会がやってくる。こんな喜びはない。

ところで、今まで、亡くなっていたと思われる多くの人が表に出てくるという。

左のトランプ演説の後には、マリリン・モンロー、エルビス・プレスリー、ジョン・レノン、マイケル・ジャクソン、ジェームス・ディーン、ブルース・リーなどがいるようだ。

そして、ケネディ・ジュニア、ダイアナ妃。

えーっ、トランプのメラニア夫人はダイアナ妃？

で、新しいアメリカ共和国の新政府は、大統領＝トランプ、ファーストレディ＝ダイアナ妃、副大統領＝ケネディ？

それで、3月4日、就任式典で、マイケル・ジャクソンがムーンウォークし、プレスリーが「ラブミーテンダー」を歌い、ジョン・レノンが「イマジン」やるの？　そして94歳になるマリリン・モンローが、下から吹く風に、あわててスカートを押さえるって？

考えただけでも、気絶しそうだ。

●Vol.101（2020年10月1日発行）

# 大本営発表

「皆が同じように考えているところでは誰もあまり考えていない」（ウォルター・リップマン）

戦後75年、「大本営発表」という言葉すら知らない人が多くなった。

父親が、戦争中、内閣情報室で海外の無線を傍受し日本語に起こす仕事をしていたという人がいる。海外のラジオ放送、アメリカ軍の無線通信がその対象であり、聴き取った内容を大本営に毎日提出するのが仕事だった。そのため、戦局の推移をかなり客観的に把握できる立場にあった。

日本軍がある戦線で退却した、大敗したという内容を傍受して大本営に提出したはずの内容が、翌日には「日本軍快進撃！」、「日本軍勝利」、「鬼畜米軍撃滅！」という内容で新聞やラジオで報じられていたという（今の朝日、読売、毎日、NHKなどと同様）。

そうした政府のウソに踊らされて銀座通りを「勝った！　勝った！　万歳！　万歳！」と連呼しながら提灯行列で練り歩く人々を、仕事帰りに目にして立ちすくんだことなどを戦後、時が過ぎてからその父親は話したという。

マスメディアの戦争責任について、ウィキペディア（インターネット百科事典）には次のように記されている。

「主力空母4隻とその艦載機を失ったミッドウェーの大敗を転機として、軍令部は参謀本部や東条英機総理兼陸相に対してさえ大敗の事実を隠蔽するようになっていった。

言論統制の結果もあるが、日本のラジオ・新聞などは大本営の発表を検証しないままに過大な偏向報道をし、国民の多くは国際情勢ならびに戦況の実態を知らされず、戦争が長期化すると、政府や軍の強硬派に迎合する形で戦争の完遂や国策への協力を強く訴える記事が多く掲載された」

戦争をあおり、戦争に慎重な人を糾弾し、「非国民」呼ばわりし、戦争へと熱狂させたマスメディアは戦後、二度とその過ちを犯さないと反省をして、再出発した。はずなのだが……。

## 新型コロナの真実とは

新型コロナ死者数、通算1112人（2020年8月20日現在）

正月（1ヶ月）に、餅を喉に詰まらせて窒息する死者数1300人
ガンの死者数、年間37万人、1日平均1023人
毎年のインフルエンザ、患者数1000万人、死者数1万人
肺炎の死者数　9万5000人

**年間の死因別死者数（日本国内）**

|  |  |  |  |
|---|---|---|---|
| 1位 | ガン | 37万3547人 | ・・・1日あたり1,023人 |
| 2位 | 心疾患 | 20万8210人 | ・・・1日あたり570人 |
| 3位 | 老衰 | 10万9606人 | ・・・1日あたり300人 |
| 4位 | 脳血管疾患 | 10万8165人 | ・・・1日あたり296人 |
| 5位 | 肺炎 | 9万4654人 | ・・・1日あたり259人 |

・交通事故で亡くなる方　年間4,596人
・転んだりして亡くなる方　年間9,645人
・インフルエンザをこじらせて亡くなる方　年間約1万人

世界中で、毎年、肺炎で１５００万人死んでいても、ニュースにもならない。なのに、新型コロナは、連日、最小単位まで、国別に報道されている。

今回の新型ウイルスは実体が不明でいろんなことが不確定なまま放置され、その一方で恐怖心やパニックだけが扇動され続けてきた。

その結果、真実を知らされない国民は今や、感染して病気で苦しむ恐怖よりも、ＰＣＲ検査で陽性になって「晒し者」になってしまう恐怖におののいている有様である。

マスコミの連日のプロパガンダ（誘導宣伝）によって、容易に一般大衆の記憶が操作されていくという事実は、心理学の基本です。

病原体の正体がはっきりしないうちに、世界中の会社などが競い合ってワクチン開発をしているのも変な話です。

これらの現象を理解するには、今回の騒動が政治的な意図で演出されていると考えると辻褄が合ってきます。

つまり、ワクチンのための、自粛・マスクであり、そのための感染症であり、そのためのPCR診断というわけです。

政治的あるいは戦略思想としては一般的ですが、感染症は自然現象であるという先入観から、逆転の発想はなかなか受け入れられないようです。

日本では、いよいよ、本丸というべきか、世界的巨大製薬会社（ビッグファーマ）に空前の利益をもたらす「ワクチン」が予約、導入されようとしています。

しかし、新型コロナワクチンの治験はすでに失敗していて、20％に重篤な副反応を引き起こすことがわかっており、このままだと、子宮頸ガンワクチンの全身マヒや痙攣（けいれん）が止まらないなどの被害が、何百倍もの規模で発生しそうだという。

ウイルスとワクチンは、1セット。マッチポンプ。過去の感染爆発、パンデミックにおける常套手段である。前回は大量のインフルエンザ治療薬タミフルを買わされた（日本は全世界の75％を消費している）。

コロナの致死率はわずか0・1％以下。それもほとんど80歳以上の高齢者、持病持ち。国民を恐怖や不安で思考停止させ、メディアを使って一つの方向に導く。緊急事態法、監視システムの増強……。

すると人々は管理されることを自ら求めるようになり、少し考えればわかることなのに、ガセネタ一つで日本全体がパニックになる。

これまでは、「知らぬが仏」で過ごせばよかった。が、これからは、「知らないと仏にされる」。

情報を鵜呑み（うの）にせず、身についた「常識」を疑い、さまざまな見方、考えを知り、自分で判断し、行動を選択しなければならない。

それが、かつての大本営発表で熱狂して国を滅ぼしたことに対する学習能力というものではないか。

## 〈PCR検査は、感染症の診断の目的に使用してはいけない〉

### 「新型コロナウイルス」は存在しているのか？

中国、武漢で患者が発熱して2019年12月27日に入院、1月5日には上海公衆衛生臨床センターがSARS（サーズ）に似た新型コロナウイルスとしてゲノム配列を明らかにし、1月7日にはWHOに提出した。WHOは新型コロナウイルス2019-nCoVと名づけた。

この間、わずか10日。

10日で論文を提出するなど可能なのか、未知のウイルスを同定する作業にしては、いくらなんでも早すぎはしないか。

感染症の病原体を特定する際の指針に、「コッホの4原則」というのがある。

それによれば、

①まず、病気の原因となる物質が存在すること。

②それを、他の汚染された遺伝物資から分離しなければならないこと。
③分離した微生物を動物に感染させて同じ病気を起こさせること。
④そしてその病巣部から同じ微生物を分離し、取り出すこと。

この4条件を満たさなければ、病原体は証明できないということです。

中国当局が行ったのは、患者の肺液を採り、見つけたのはRNA遺伝子物質情報だけで、ウイルスではありません。それを、「新型コロナウイルスが原因」と診断したのです。

病気の原因と主張するウイルスを、他の汚染された遺伝子物質から分離できていないということは、病原体が証明できないということであり、「新型コロナウイルス」というものが何か、そもそもの存在が問われるということになります。

## PCR検査陽性＝新型コロナウイルス感染ではない

「…検査の結果、『陽性』でも、それで新型コロナウイルス感染症（COVID－19）と

『診断』したり、『治療』の根拠としてはいけない」

「…この検査は、他の様々なウィルスにも『陽性』と反応します」

これらは、なんと、PCR検査キット「注意書き」に記載されているものだというから、絶句してしまいます。

そして、「陽性」反応する病原体例として新型コロナ以外に7種類をあげています。「インフルエンザA型」「インフルエンザB型」「アデノウイルス」「RSウイルス」「パラインフルエンザ」「マイコプラズマ」「クラミジア」などです。これらは、普通の風邪を引き起こすウイルスや細菌です。

世界中が新型コロナ検出の決め手としているPCR検査は、これら7つの病原体にも「陽性」と反応するのです。

つまり、通常のインフルエンザや普通の風邪ウイルス感染者が新型コロナ感染者にカウントされてしまうわけで、新型コロナ感染者と診断された人が8人いたとすれば、単純計算すれば7人が他のウイルス感染者となるから、PCR検査の正解率は8分の1になります。

PCR検査を行って、2週間経過観察して「陽性」が正確か、実験をした結果、偽陽性率は80％、つまり、5人の陽性者のうち、4人は感染者ではなかった。

メディアが「世界中で100万人がウイルスに感染」と伝えても、そのうち80万人は別のものということになる。

「PCR検査は、感染症の診断に用いてはならない」

PCR検査の発明者、キャリー・マリスは警告していた（2019年8月急死）。

しかし、それを無視するかのように、全世界が新型コロナウイルス感染症を「診断」するために「PCR」検査に頼っていて、PCR検査で、陽性反応になると何の症状がなくても「コロナ感染者」と判定され、必要のない治療を受けたり、まったく別の理由で死亡した場合でも、死因は「コロナ」と水増しされる。

その感染者数が毎日報道され、それによって、外出が禁止され、都市封鎖など経済が破壊され、倒産し、自殺者を生み出すような悲劇さえ生み出す。

「ＰＣＲ検査では、ウィルスは計測できない。測れるのは遺伝物質のみ」（アンドリュー・カウフマン医師）

ＰＣＲは、今も昔も、ＤＮＡ（遺伝子）配列を何百万回、何十億回も複製できる製造技術としての応用であり、ウイルス感染の検出には不適切であるとしている。

ＰＣＲ検査では、咽頭（鼻の奥から喉までの部分）からぬぐいとった体液に含まれている遺伝子を何回も増幅して増やし、検出しやすいように染色するが、この増幅をやりすぎると、感染に至らないごく少数のウイルスの付着でも検知して陽性の結果を出してしまう。

感染者だけを陽性者と判定するのには増幅回数を「30回未満」にするのがよいとされているが、米国では、「37～40回」の増幅をしているという。1回の増幅で2倍、30回の増幅で10億倍、40回の増幅で1兆倍、30回と40回では3万倍違う。倍率を上げれば、ウイルスの遺伝子の破片だけの存在でも陽性反応が出る。

ニューヨーク州の検査施設で行われたＰＣＲ検査では、今年（２０２０年）7月、７９

4人が陽性になったが、これは40回の増幅の結果だった。これを35回にすると陽性者が半分に減り、増幅を30回にすると陽性者が3割に減った。また、マサチューセッツ州の検査施設の計算では、40回の増幅で陽性になった人の85～90％は、増幅を30回にすると陰性と判断される。

米政府（CDC）は、増幅回数を発表していないが、「37～40回」と専門家が新聞にリークしている。米政府は、過剰に増幅することでコロナ陽性者の数を数倍から10倍に膨らませているという。

日本の政府も、これまで一度もPCR検査の増幅回数を明らかにしていないのだが……

## パパイヤもウズラの卵も陽性

PCR検査の検体の元になっているものは、中国の7人の肺炎患者の肺胞から取り出した遺伝子情報で、いろいろな物質が混ざっている。体内には多様な遺伝物質が存在するので、「陽性」を示します。

タンザニアの大統領が、ヒトの検体であるとして出した、パパイヤ、ウズラの卵、ヤギでも陽性判定が下った。これらにも、肺の中にあるエクソソームという物質を持っており、遺伝子情報が一致したようだ。

新型コロナウイルスの遺伝子情報ではなく、ＲＮＡ（遺伝子）情報を持つ混在情報を取り出していた可能性が濃厚になっている。

ＰＣＲ検査で大きな間違いが発生している。それは、無症状の人から感染する可能性があり、感染拡大を防止するためには、健康な人や無症状の人でも、人と人との間を離す必要がある（ソーシャルディスタンス）ということだ。

発熱して、細胞を突破して、ウイルスが増殖している人であるならば、マスクも必要かもしれないが、発熱していない人は、細胞を突破していないので、ウイルスは増殖していない。

その開きは１００億倍のウイルス量なのだ。つまり、発熱していない人からは他人に感染を及ぼすことは考えられない。

従来、マスクでウイルスは防ぐというのは、「ザルで水をすくう」、「テニスコートのネットで砂を防ぐ」ようなものだといわれてきた。

マスクが感染予防に有効とするエビデンス（根拠）はないが、その逆のエビデンス（マスクの害悪）はある。WHOも、「新型コロナウイルスにマスクは必要ない」と発言してきた。

それがいつのまにか健康な人や無症状の人にも必要として、世界は異常なマスク社会となった。

検温、マスク、過剰な消毒によって、コロナ危機が創出された。


PCR検査は、ウイルス計測できない。その正確性において、エラー率は80％ともなれば、デタラメに近い。

毒性の高いSARS（サーズ）の場合の感染条件は、①呼吸器症状、②38度以上の熱、③他患者との疫学的つながり、④PCR検査陽性、だった。この条件を充たした者を全員隔離したら、SARSは終息してしまった。

今回、WHOは、PCR検査のみに条件変更した。その結果、まったく何の症状もなく、他感染者とのつながりもないのに、検査を受けると陽性になって、感染者が続出する。「PCR検査をもっと増やして、いつでも、誰にでも、手軽にもっと」の大合唱によって、検査すればするほど、無症状の陽性、感染者が出てきて、コロナは永遠に終わらなくなる。喉に何らかのウイルスが付着したとき検査すると陽性、いなくなると陰性、陽性になったり陰性になったり、ただそれだけのことだ。

PCR検査を一言でいうと、「遺伝子増幅実験」。PCRは「微量であっても存在するDNAを検出する」方法であって、「ウイルスを疫学的に検出する」方法ではない。

人類世界が初体験しているのは「コロナウイルスの脅威」ではなく、「PCRを大規模に疫学調査に使う怖さ」です。

## 死因はすべて「コロナ」に

コロナ危機の一つの形として世界的に宣伝されていることの一つが「コロナによる死者

の急増」だ。そこに関して世界各地でインチキが行われている可能性がある。

最大のものは、主な原因がコロナ以外の持病で死んだ人を「コロナの死者」の統計に入れることだ。


ミネソタ州の共和党上院議員であり、医師であるスコット・ジェンセン博士が、地元テレビ局のインタビューに実名も素顔も出して仰天の証言をしている。

「…米政府機関の保健福祉省から、新型コロナウイルスの検査をしていない肺炎患者が亡くなった場合も『死因』を新型コロナウイルスと死亡診断書に記入するよう指導する7ページの文書を受け取った」という。

これは、政府による「診断書」偽造命令、つまり、「肺炎患者が死んだら、すべてコロナにしろ！」。

これは、まさに医師法違反。それを国家が強要している。

また、米元下院議員ローン・ポール研究所が調べたところ、米国の統計上の「コロナの死者」16万5000人のうち、コロナが主たる死因だった人は6％にあたる1万人にすぎなかった。残りの人は他の重篤な持病をいくつも持っていて、平均すると一人あたり2・

6個の持病を持っており、しかもほとんどがとても高齢な人々であり、加齢と持病による死だった。

ちなみに、米国では、新型コロナウイルスを「持っている」と診断すると、病院は1万3000ドル（約140万円）、その患者が人工呼吸器を使用すると3万9000ドル受け取れる。

これまでも、コロナ死者統計の中で、コロナが主たる死因の人はごくわずかだといわれてきたが、そのことを米政府の厚生省（CDC）が、2020年8月27日に統計として初めて発表し、コロナ以外の持病などで死んだ人も「コロナ」にしてしまうインチキについて、認め始めたようだ。

「イタリアの死者2万5000人は、心臓発作やガン、その他の病気で死亡したのです！ イタリアを辱（はずか）しめるためにこの数字を使うべきではありません！ イタリア人に恐怖を与え、同意を得ずに独裁を強制させるための手段にすぎません。馬鹿げています！」

イタリアの国会議員は、どこかの国と違って、堂々と論じます。

多くの死者を出したイタリアでも、当局は「新型コロナで死亡した99％は他の病気を1

〜4種類以上持っていた」と認めています。大掛かりな詐欺のようなものです。

## スウェーデンの勝利

ロックダウン（都市封鎖）の目的は、感染者との接触を断って、感染拡大を防ぐ。そのはずだった。

しかし、ロックダウンどころか、「外出禁止」も「営業禁止」も「マスク」もしていないスウェーデンと、厳戒態勢がとられた先進国9ヶ国と比べても感染率はまったく同じだった。

「戒厳令」並みの対策は意味がなかったということになる。

それどころか、「都市封鎖」、「外出禁止」、「営業禁止」は、その国の経済の死を招く。

同時に、コロナ以外の死者を激増させている。

■ロックダウン、外出禁止は無意味だ

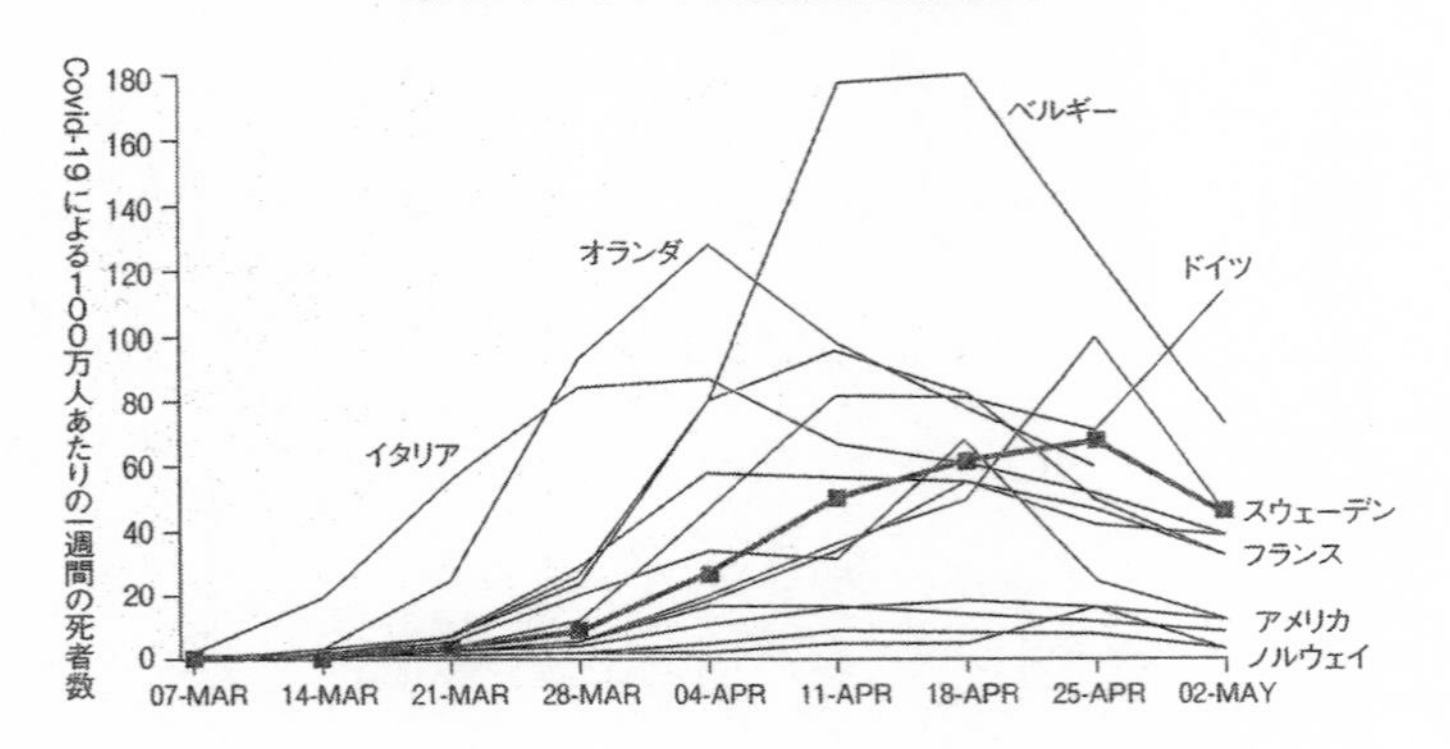


■ロックダウンも外出禁止もマスクもしないスェーデンが正しかった

人口100万人あたりのコロナによる死者数（5月10日）

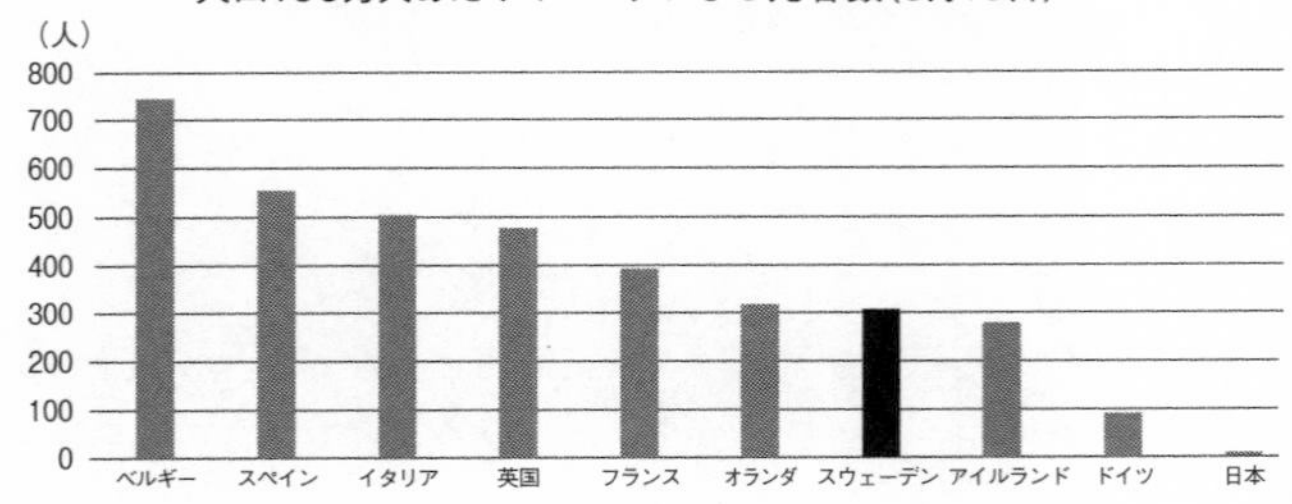


## 「ロックダウン」で殺される

「…英国では、新型コロナではない原因による死者が激増している。死者はロックダウンから激増している。それは、統計開始以来、最悪の激増ぶりだ。その『死因』はロックダウンだった……。

我々は、今、国家による大量殺戮という現実を目の当たりにしている」

これは、ロックダウンさ

れたイギリスから配信されたものだ。

英国で、ロックダウン開始直後から全死亡者数が跳ね上がっている。だから、死者数激増の原因はロックダウンそのものだ。

皮肉なことにロックダウンした瞬間から、新型コロナ死亡者数も比例して激増していることがわかる。これら数値は、国家統計局によるものなのだが、英国政府は、ロックダウンを解除しなかった。

これから、何億人が「コロナウイルス以外で」亡くなるのだろう。多数の医学研究所は、「隔離」と「孤独」は人に多大な悪影響を与え、結果として社会全体の死亡率が大幅に上昇することを示す。

「孤立」と「隔離」は、脳卒中を32％増加させ、ガン発症を25％上昇させ、感染症にかかりやすくなり、認知症発生は50％増、さらに糖尿病を極度に悪化させることは、数々の医学論文で証明されている。封鎖を行っているすべての国で急激な死亡率の変化が起きる。

死ぬほど厳密なロックダウンにより、ヨーロッパやアメリカをはじめ、多くの市民たちが「死にそうに疲弊している」うえに「記録的な失業の波」が発生している。

■ロックダウンは国家による大量殺人だ！

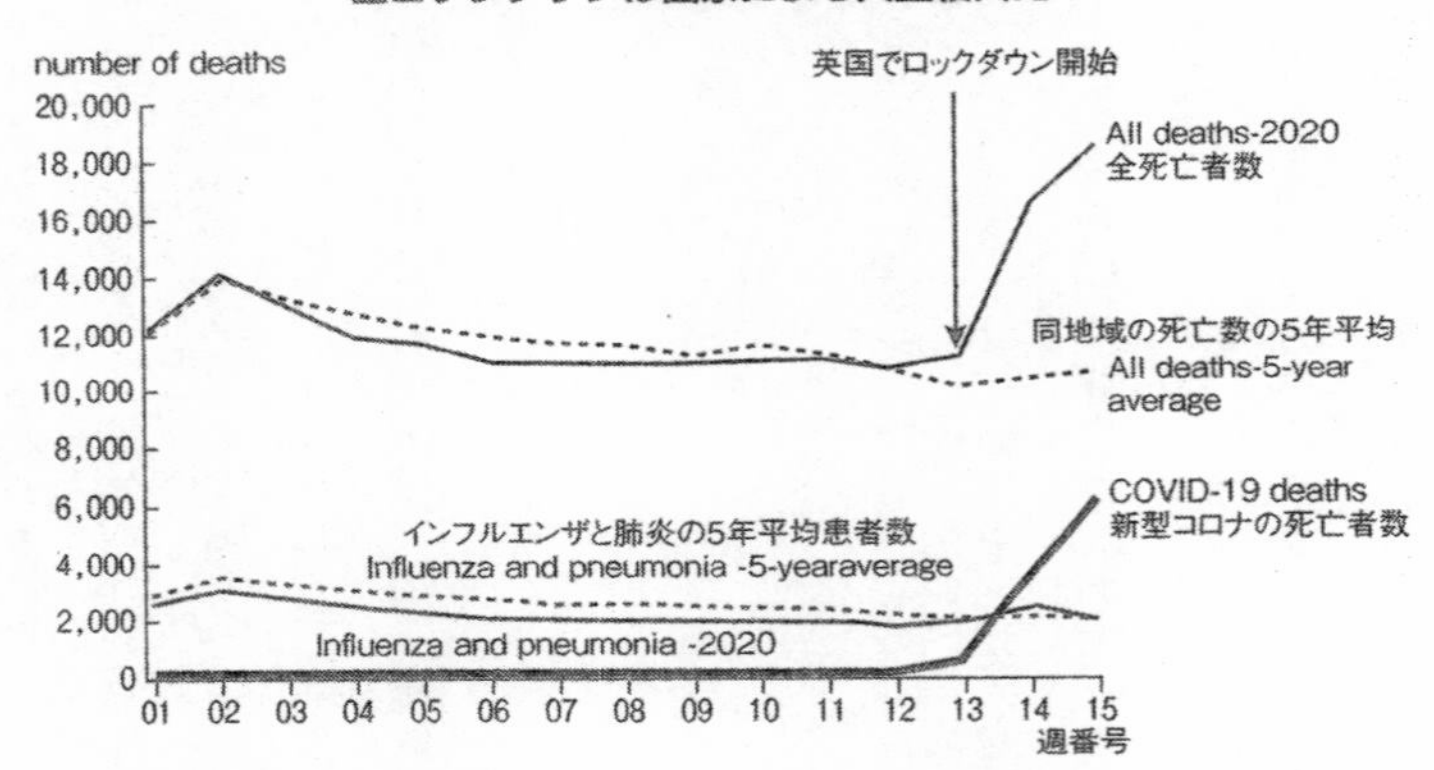


2019年12月28日から2020年4月10日までのイングランドおよびウェールズの毎週の死亡者数の推移
（出典：https://www.ons.gov.uk）

1948年−2020年のアメリカの失業率の推移

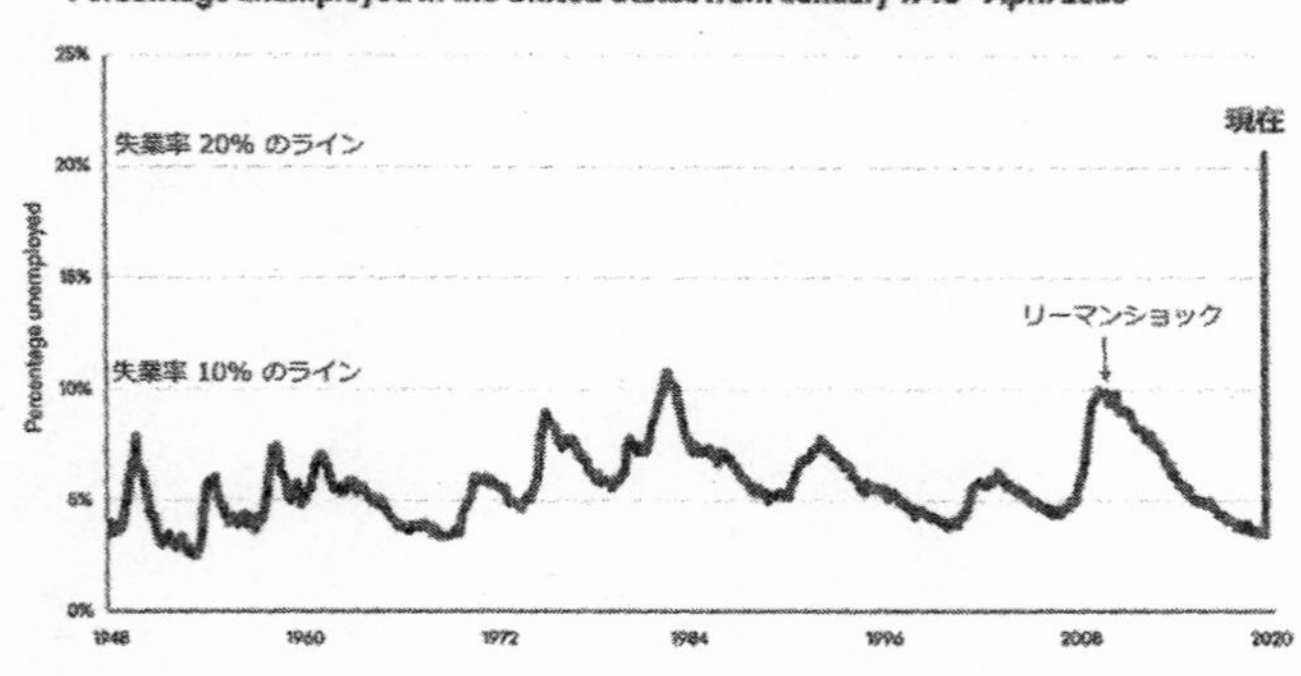

どうやら、「新型コロナ」パンデミックは、それが狙いのようだ。

それは、「国連アジェンダ21」に基づく人口削減計画とあわせ、世界経済をシャットダウンし、新世界政府づくりに着手するための「コロナ・パンデミック」。

世界同時戒厳令ともいうべき、都市封鎖（ロックダウン）、緊急事態宣言で、経済を破壊し、自由を奪う。共産国の監視社会を笑っていたが、キャッシュレス、顔認証カメラ、ＡＩ（人工知能）など、身のまわりが、「ニューノーマル」＝「新しい生活様式」として、受け入れさせていく。

いずれにしろ、「コロナパニック」は全人類に「監視」と「支配」に従属する「免疫」を植えつけた。

## 〈政権交代でコロナ騒動収束？〉

安倍前首相は、２０２０年8月28日、辞任することを表明するとともに、新型コロナウイルスに関する感染症法の扱いを、これまでの1・2類相当から、5類への格下げ、もしくは法指定自体から外すことを検討すると発表した。

感染症の法の扱いは、新型コロナが「大変な病気」であることの法的根拠だ。分類的には、1類（エボラ出血熱、ペストなど）が最も重篤で、5類（季節性インフルエンザなど）が最も軽い。

安倍政権は今年（2020年）2月1日、中国が1月28日に武漢市を都市封鎖してコロナ危機が始まった直後に、コロナを感染症法の1・2類相当に指定した。

日本政府はコロナに関して、従来は1類にもなかった「外出自粛要請」などの新規制を盛り込んでおり、コロナは、その面では、これまで最高の「超1類」のような取り扱いになった。

コロナを感染症法1・2類に指定したことで、日本政府はPCR検査の陽性者を全員、入院させねばならなくなった。

陽性者の多くはウイルスが咽頭に付着しているだけで感染しておらず、実のところ入院の必要がないが、付着しているだけの人と感染した人を見分ける方法がない。感染しても、その多くは生来の自然免疫によって治癒する軽症者だ。ごく一部は重症化や死亡するが、その比率は季節性インフルエンザより低い。要するに新型コロナは「インフル以下・ふつうの風邪相当」の病気である。感染症の指定など必要ない。

新型コロナを、インフルエンザ並みの5類の指定に格下げするか、もしくは新型コロナの感染症指定そのものを解除する。

日本政府が感染症指定の格下げや解除を実施する表向きの理由は「軽症者や無発症者で病院がパンクするのを防ぐためであり、新型コロナがインフルや風邪並みの大したことない病気だということではない」となっている。

しかし、新型コロナが大変な病気なら、大半の人が軽症や無発症でも、感染症指定の格下げや解除を検討するはずがない。

世界的に、新型コロナで重症化・死亡する人のほとんどは他の持病などによって免疫力が低下した状態で、コロナを「大変な病気」と思わせるために、持病で死んだ人がコロナで死んだと診断されている。

コロナの「大変さ」は、世界的に誇張されている。

日本は、安倍首相の辞任とともに、米国主導のコロナ危機の誇張に同調するのをやめていく。

日本の権威筋やマスコミは、今後しだいにコロナの重篤性を誇張しなくなっていくだろう。

## 〈5G（第5世代移動通信システム）と電磁波の危険性〉

### 5G（第5世代移動通信システム）とは？

Gとは、世代（ジェネレーション）の略。携帯は、1Gから2、3、4Gと世代が変わるごとに通信量と速度が大幅にアップしています。「ガラケー」は3G、今のスマホは4Gです。

5Gは、通信速度が速く、容量が大きい次世代の通信システムで、今まで2時間かかった映画のダウンロードが、わずか3秒でできるようになり、車の自動運転や医療機器の性能アップにもつながる、というものです。

第一世代のワイヤレス1Gは音声。第二世代の2Gは会話とメールを可能にしました。第三世代の3Gはインターネットを可能にしました。現在、第四世代の4Gはデジタルへの移行が完了しました。

第五世代5Gのキーワードは、①高速大容量通信、②超信頼低遅延、③多数同時接続です。

| | | |
|---|---|---|
| 1980年 … | １Ｇ | （携帯電話） |
| 1990年 … | ２Ｇ | （メール） |
| 2001年 … | ３Ｇ | （iモード、EZweb） |
| 2012年 … | ４Ｇ | （動画・スマホゲーム） |
| 2020年 … | ５Ｇ | （高速の大容量通信） |

## 電磁波の危険性

身のまわりに飛び交う電波などをまとめて電磁波と呼びます。それは電気と磁気のエネルギーです。

ケータイで、脳にガンができるのは、発信している電波（マイクロ波）に発ガン性があるからです。

ケータイを耳に当てて10年以上使うと、脳腫瘍（のうしゅよう）になる確率が5倍になる（スウェーデン報告）。

ケータイは、イヤホンマイクあるいはスピーカーホンを使いましょう。そのリスクを100分の1以下に減らします。

電磁波の恐怖を列挙してみます。

●ケータイ症候群（長く使うほど、頭痛、めまい、疲労感）●リニア新幹線（電磁波被ばく4万倍、下車後もガン増殖、数十倍に）●精子30％減（ケータイをズボンのポケットに入れるな！）●脳DNAを破壊（マイクロ波2時間で遺伝子切断が6割強）●細胞が変形（20分で細胞が丸まり表面に亀裂）●心臓マヒ（カエルの心臓が9割止まった）●子どもケータイ（英、仏、印、ロシア使用禁止）●ダウン症10倍（放送タワー林立の街で悲劇発生）●中継塔ガン4倍（350m以内、女性は10・5倍）●放送塔で白血病（500m以内9倍）●スカイツリー（発ガン電波をまき散らす。ヨーロッパでは建設禁止）●白血病死150倍（鉄塔林立、大阪・門真市の惨劇）●小児ガン5・6倍（高圧線近くに住むな）●自殺4割増（高圧線付近は精神異常も増える）●乳児突然死（電磁波が悲劇リスクを3倍増やす）●IH流産5・7倍！（有害電磁波）●アルツハイマー症7倍（電動ミシンで発病）●殺人オフィス（地下変電所で発ガン死15倍）●オール電化（ガスの2倍高）●ホットカーペット（300倍危険）

## 膨大な量の5G電磁波

4Gシステムと比べると、5Gの通信速度は約100倍にはね上がりますが、5Gは、人体、県境への影響はノーチェックで推進されています。

5G最大の恐怖は、アンテナ群の林立です。

5Gで新たに用いられるのは「ミリ波」と呼ばれる電波。波長が極めて短く光のように直進するため、住宅やビルなど障害物で妨げられないよう、アンテナの数を多くしなければなりません。

ニューヨークのある医師が、新型コロナで運ばれてきた患者の肺が上空3万3000フィートを飛んだ状態と同じものだったと証言している。5Gが出す60ギガヘルツの周波数に当たれば、血流が十分な酸素を吸収できなくなるが、これとまったく同じ症状になる。

5Gは米軍が考えたもので、なんと！　電磁波兵器と同じレベルの周波数帯域なので、感染爆発と同じ影響を与えることができます。5Gの電磁波で傷ついた細胞と新型コロナに感染したとされる細胞は、顕微鏡で見ると瓜二つです。5Gの普及地域とコロナの感染地域は重なります。

5Gが普及すると放射電気の高速環境の中での暮らしとなります。まるで、電子レンジの中にいるようです。電磁波や電磁気が充満すると人々の知能はますます低下します。

## 東京タワーや東京スカイツリーはヨーロッパでは建設できない

次ページの表は、先進国の電波規制値を比較したものです。

アメリカは米軍の軍事行動を自由にするため「電波安全基準」を極限まで緩くしています。日本はそれに従っているため、世界で最も5Gの電磁波被ばくが過酷となるといわれています。

## ムクドリが大量死

2018年10月、オランダハーグ駅前に設置した5Gアンテナ塔から実験電波を飛ばしたところ、隣接公園の木に止まっていたムクドリ297羽が次々落下。5Gのマイクロ波が鳥の心臓を止めた。

カエルの実験でも電磁波を照射すると9割以上の心臓が止まった。その他、牧場の牛が倒れた、水鳥が一斉に水中に頭を突っ込み狂ったように水面から飛び立ったなど動物たちの奇妙な行動の報告が相次いでいる。

●日本の規制は先進国より60～100万倍も甘い！

基地局からの電磁波（高周波）の規制値について（国際比較）

| 国名、年代等 | 周波数900MHz（メガヘルツ） | 周波数1800MHz（メガヘルツ） |
|---|---|---|
| スイス、政令2000 | 4.2 μW/cm² | 9.5 μW/cm² |
| イタリア、政令2003（屋外） | 9.5 μW/cm² | 9.5 μW/cm² |
| ロシア（モスクワ）1996 | 2.0 μW/cm² | 2.0 μW/cm² |
| 中国、1999 | 6.6 μW/cm² | 10.0 μW/cm² |
| ICNIRP | 450 μW/cm² | 900 μW/cm² |
| 日本、告示1999・アメリカ・カナダ | 600 μW/cm² | 1000 μW/cm² |
| パリ（フランス） | 1.0 μW/cm² | |
| ザルツブルグ（オーストリア）（屋外）<br>勧告2002（室内） | 0.001 μW/cm²<br>0.0001 μW/cm² | 0.001 μW/cm²<br>0.0001 μW/cm² |

ICNIRP＝国際非電離放射線防護委員会、資料参照

人間も同様で、5G基地局が設置されて以来、何人もが頭痛や不眠・めまいを訴えている。

これらは、電磁波過敏症の典型的な自覚症状で、被ばくが続けば、ガン、異常出産、意識障害、自殺など深刻な被害をもたらします。

## 5G電磁波がマインド・コントロールに使われる

専門家によれば、5G周波数の波形が脳神経活動と酷似しており、脳に進入する5G電磁波を操作することで、人間の思考や感情を外部から操作することも可能という。

人間の脳の各分野は、喜怒哀楽で反応する部位が異なる。そこに脳波に連動する周波数の波動を送り込むと、操作する側の思い通りの感情を相手に起こすことができる。これこそ、マインド・コントロールの極致。

この「洗脳」テクニックは、不特定多数の大衆に向けても可能となる。民衆に暴動を起こさせたり、鎮めたりすることも可能というから恐ろしい。かつて起こったロサンゼルスの黒人暴動なども、この洗脳装置が使われたという。

そして…5Gは、この大衆洗脳システムをより高度化させたものだという。

## 国家も反対に立ち上がった

「ブリュッセル市民は、モルモットじゃない」

ベルギーの首都ブリュッセルで5Gの実験、導入禁止。スイスも導入を保留。サンフランシスコや香港などの都市は一部地域で禁止。欧米諸国は5Gの導入に対して前向きではない傾向にあり、世界中で今、環境グループや市民たちが、5Gに反対運動を繰り広げている。

これと真逆なのが日本政府の対応で、総務省は2019年4月、NTTドコモなどモバイル事業者4社に「次世代通信規格・5G」に必要な電波割当を行っている。

安倍－菅首相が携帯電話の料金引き下げを言うのは、国民目線、選挙目当てというより、5G推進のためといえます。

## 〈ムーンショット&スーパーシティ〉

・ロボットを自分の身代わりとして遠隔操作することやデジタル空間で自分の分身であるアバターを操作する。
・ＡＩ（人工知能）を搭載した指輪（スマートリング）で健康状態を管理する。
・人の感情を読み取り理解できるロボットを作り、人生に寄り添って一緒に成長する。

何の話かと思われるかもしれないが、これらは、２０５０年を目標としたムーンショット（挑戦的な研究開発）と呼ばれる政府が掲げる日本のビジョンです。

これを具体的に実行するのがスーパーシティ。

日本でも武漢のような人工知能（ＡＩ）と５Ｇによるスーパーシティを実現する「スーパーシティ法案」が成立しました。

スーパーシティ法案とは、人工知能（ＡＩ）やビッグデータなどの先端技術を活用した都市をつくっていこうというものです。

ムーンショットは日本全国を目標とするが、スーパーシティは一部の地域を特別区に指定して、そこに未来都市をつくろうというものです。無人の自動運転車が巡回し、タクシーのように利用されます。また、空にはドローンが飛び交い、さまざまな商品が空中輸送されます。

スーパーシティの問題点は二つあります。

一つは、個人の行動に関するさまざまなデータがスーパーシティ運営主体に集約され、ＡＩ（人工知能）によって分析される。市民のプライバシーが守られない仕組みとなる可能性があります。

二つは、住民による地方自治が危機に陥り、地方自治体の運営主体が情報企業の手にゆだねられる危険性があること。

つまり、自治と公共性を破壊し、プライバシーのないミニ独裁国家を生み出そうとするのがスーパーシティの本質的な問題です。

「アフターコロナ」や「ポストコロナ」と、このパンデミックが終息した後の世界を先取りして上手に立ち回れ！　といったことをいう人も出てきましたが、そんな未来はやってこないでしょう。

今までの世界は完全に破壊されて二度と復旧されることはなく、コロナの出口戦略として、その後に訪れるのは「ニューノーマル」（新しい正常）＝「新しい生活様式」と呼ばれる世界です。

「人が身体、脳、空間、時間の制約から解放される社会」とは、まさに、ＡＩ（人工知能）、ロボットに人間が操作され、監視される社会といわざるをえません。

支払いはキャッシュレス、仕事はテレワーク、教育もオンライン。コロナウイルス対策は、ムーンショットへ続く道だったようだ。

## シンギュラリティとは？

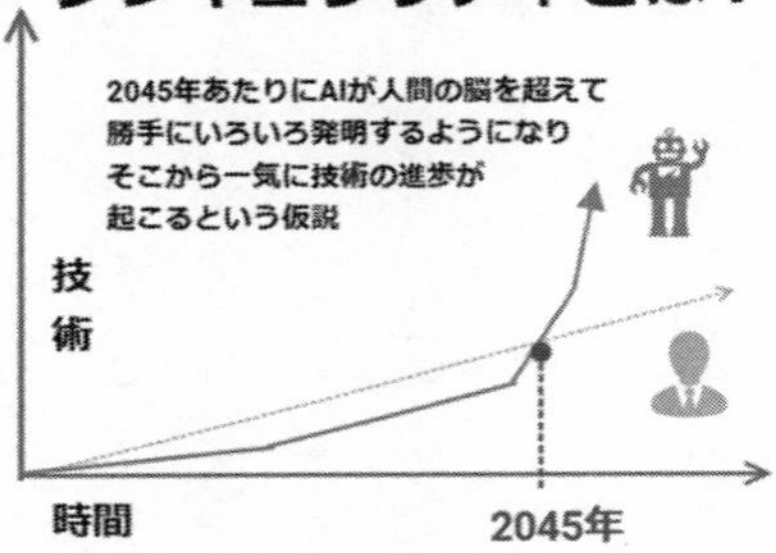

2045年あたりにAIが人間の脳を超えて
勝手にいろいろ発明するようになり
そこから一気に技術の進歩が
起こるという仮説

技術
時間
2045年

# 生産者の自家採種、原則禁止 ～国の種苗法改正案に待った！～

通常国会で種苗法の改正案が提案された。

報道はコロナ一色だし、そもそも種子法の廃止だって主要メディアではほとんど取り上げられなかったことを考えると、今回も人知れずこの法改正は成立してしまう可能性が高かった。

ところが、検察庁長官の定年延長問題の提案に対して、キョンキョン（小泉今日子）がツイッターで抗議し、柴崎コウが種苗法改正に、「農民がかわいそう」とつぶやいたところ、反響が大きく、これらが止まった（国会議員より、女優のほうがよほど頼りになる）。

県議会閉会中で、手も足も出ないと思っていたが、止まったので、ちょうど私が産業常任委員長という立場にあったので、問題点を明らかにし、6月定例会で、福井県議会として、抗議の意見書を全会一致で採択した。

「種苗法は、新品種を保護するため品種登録し、種子の育成者権利を保護するものですが、現行種苗法では種子の育成者の権利と生産者の種子の権利をバランスさせる必要が認識されており、生産者は原則として自家採種・増殖が認められてきました。

しかし、今般の種苗法改正案では、農業者は登録された品種の育種権利者から自家増殖（採種）の対価を払い許諾を得るか、許諾が得られなければ全ての苗を新しく購入するしかなくなります。つまり、登録品種は自家増殖（採種）が一律禁止になり、違反すると10年以下の懲役1千万以下の罰金共謀罪の対象になります。

また、農水省の省令によって、その生産者の権利を制限する種を決め、その種の登録品種はすべて自家採種を禁止することが可能となっており、省令で対象品種をすべてにしてしまえば原則自家採種可能という種苗法は変更せずともその実を変えることができてしまう状況にあります。

その農水省省令による自家採種禁止植物の推移を見ますと１９９８年以前は自家増殖・採種に制限はなかったものの、２０１６年では82種となり、２０１７年２８９種に急増し、２０１８年には３５６種に、２０１９年には３８７種に増やされています。

## 自家増殖（自家採種）制限の推移

| | |
|---|---|
| 1998年以前 | 自家増殖（自家採種）に制限なし |
| 1998年 | 種苗法 改正<br>自家増殖については育成者権はおよばない。<br>ただし、契約や省令により自家増殖に許諾が必要とすることができる。<br>○自家増殖制限 23種 |
| 2004年 | 「植物新品種の保護に関する研究会」報告<br>将来的に自家増殖には原則として育成者権を及ぼすことを検討するべき。当面は、順次、育成者権の効力が自家増殖におよぶ植物を追加していくことが適当 |
| 2006年 | ○省令（種苗法施行規則改正）により自家増殖制限 82種 |
| 2015年 | 「自家増殖に関する検討会」検討結果<br>「農業者の自家増殖に育成権者の効力を及ぼす植物の基準」を策定 |
| 2017年 | ○省令により自家増殖制限 289種 |
| 2018年 | 種子法 廃止<br>○省令により自家増殖制限 356種 |
| 2019年 | ○省令により自家増殖制限 387種 |
| 2020年 | ○省令により自家増殖制限 396種 |

こうした政策は、公的機関による種子の保全、育成及び供給を困難にし、種子開発生産の民間企業支配と独占に道を開くことになりかねず、農家の経済的負担が増大することや、農家による種苗の自家採種・増殖の権利を奪う可能性もあり、育成者権者からの権利侵害を理由とした訴えなどを懸念して営農意欲をそがれ、後継者不足も重なって、伝統的な日本の農業のさらなる衰退をもたらす恐れがあります。

ひいては、食料の安全保障、種の多様性、環境の保全、地域の存続、といった持続可能な経済社会の確立にとって大きなマイナス要因ともなりかねないことが危惧されます。よって、ここに農業者が営農を継続するために必要な法改正となるよう国に求めるものです」

（本会議での提案理由説明）

安倍政権は２０１８年に種子法を廃止し、戦後の食糧難以降、日本人にコメ、麦、大豆などの主要食糧を安定的に供給する源となってきた主要農産物の種子の公的管理制度を廃止している。

種子の公的管理によって民間の参入機会が奪われているというのがその根拠だったが、現状では民間企業の種子の価格は公的に管理された種の10倍以上する。また、その場合の民間は国内企業に限定されるものではないため、多くの種子の知的財産権を独占する海外の巨大多国籍企業にコメを含む日本の主要作物の種を握られてしまう恐れもある。

種子法の廃止は、同時に施行された農業競争力強化支援法によって、国や自治体が持つ知財権の民間への移転が促進されている。

そして、今度はトドメともいうべき種苗法の改正である。

政府は日本の優良品種の育成者権（その品種を開発した者の知財権）が海外に流出する恐れがあるとの理由から、品種登録制度を強化するとともに、登録品種の海外持ち出しを原則禁止するとしている。問題は今回の法改正によって、登録品種の自家採種ができなくなることだ。

種子には自家採種ができないように品種改良されているため毎年企業から購入することが前提となっているF1種と、農家が伝統的に前年の収穫から一番良質な株の種を採取する自家増殖（自家採種）が可能な在来種・固定種の2つの種類がある。F1化されていない在来種の多くは自家採種が可能なため、多くの農家で先祖代々引き継がれた種を持っている場合が多い。少なくとも毎年企業から種を買う必要がない。

しかし、種苗法の改正により、こうした品種の登録が可能になってしまえば、自家採種した農家は登録した企業から権利侵害で訴えられたら負けてしまう。

品種の登録にはそれ相応の手間と費用がかかるため、小規模な農家ではとてもそこまで手が回らない。先祖代々自家採種してきた種を使って作物を作っていたら、ある日突然訴えられて、その作物が作れなくなったり、権利侵害で最大1億円の罰金を科される可能性があるのが、今回の法改正なのだ。

自家採種ができなくなれば、種は企業から買わなければならなくなる。F1種は自家採種ができないため（物理的には可能だが、翌年の種はまともに収穫できないのがF1種の特徴）、種は毎年買わなければならない。

2年前の種子法の廃止と農業競争力強化支援法でコメ、麦、大豆などの主要作物の公的管理が民間に移ることが決まったが、今回の種苗法の改正でそれ以外の作物の種子も国際競争に晒されることになる。

いずれもアメリカが要求していることであり、TPP条約にうたわれている内容を着々と実行しているにすぎない。

## 孫への手紙　～ワクチンに気をつけて～

生まれてすぐ、婆が喜んで皆がはしゃいでいたときのことです。

念願の初対面が叶った婆から「お乳が足りなかったようだから、ミルクもらったの。

そしたら目を開けてくれたの」というメッセージが入ってきたので、思わず、爺は「余計なことするな」と返信しました。そしたら、みんなから「おめでたムードを壊した」と非難轟々でした。

なぜ、爺が反射的に反応したのかといえば、牛乳（粉乳）は、牛の子が飲むものだからです。

人間は人間の母親の母乳を飲んで育ちます。初乳を飲んで育てば、お母さんから、自然免疫を受け継ぎ、5歳までの赤ちゃんは、新型コロナで重症化するようなことはありません。

不幸にして、母乳が出ない場合は、やむをえずミルクで育てることになります。でも、人間だけです。人間以外の乳を飲むのは。

昔は、ヤギの乳で育てられたようで、年配の方が、ヤギの前で、「お前のおかげで、私は育った」と手を合わせる光景を目にしたことがあります。

いずれにしろ、生まれてから口にするもの、体に入れるもの、体に影響を与えるもの、周りは毒だらけなので、お母さんには、口が酸っぱくなるほど気をつけるように言っています。

いとこのYちゃんが、昨年、「川崎病」になったのは、BCGワクチン接種に原因があるといわれています。

ワクチンの危険性については、Yちゃんのお母さんに警鐘を鳴らし、本もあげたのですが……。それでも、その程度に収まってくれたので不幸中の幸いです。

国が推進した「子宮頸ガンワクチン」を打ったばかりに、元気だった女の子が、全身マヒや痙攣が止まらないなどの被害に遭いました。それを勧めたお母さんがどれほど悔やんだかわからないという記事を読んだことがあります。

「去年、うちの家族で、私とお父さんがインフルエンザの予防接種をして、私とお父さんがインフルエンザになって、ほかの家族は罹らなかった」という笑い話のような話を最近聞きました。

1979年(昭和54年)、群馬県前橋市の一人の子どもがインフルエンザワクチンの集団接種後、痙攣を起こしました。これはまぎれもなくワクチンの副反応であると判断し、医師と前橋市医師会は国に認定を求めましたが却下されました。

それを機に、前橋市医師会は集団接種をやめるという決断をし、あわせて集団接種を続けている周辺の市との比較を5年間徹底調査しました（前橋レポート）。

その結果、集団接種している地域と、していない地域に差がなく、インフルエンザワクチンの集団接種の意味がないことが証明されたのです。そして、ついに、1994年、小中学生への集団接種が廃止になりました。

しかし、ワクチン製造が落ち込むと、今度は「インフルエンザは風邪じゃない」というキャッチコピーのもと、集団接種はダメでも高齢者や合併症を起こしやすい人には有効として推進され、2001年、予防接種法が改正されて、厚労省お墨付きで高齢者への接種ばかりでなく介護職員や病院関係者にも接種が半ば強制されています。

健康な人を対象にするワクチンはビジネスとしても最大のものです。

ワクチンに効果があるかどうかを証明するものはありません。

防腐剤としての「水銀」、をはじめ最近は「遺伝仕組み換え」ワクチンが登場し、副反応のリスクがあることを考えると打たないほうが安全だと爺は思うのですが……。

●Vol.100（2020年5月18日発行）

# ショック・ドクトリン

「世界的な事件は偶然に起こることは決してない。そうなるように前もって仕組まれていたと私はあなたに賭けてもいい」（フランクリン・ルーズベルト）

新型コロナウイルス感染症「COVID－19」のパンデミック（世界大流行）は、世界中を恐怖に陥れ、足を止め、経済を止め、思考を止めました。

過去において、新型インフルエンザ、エイズ、SARS、エボラなど毒性の強いウイルスが流行したとき、今回のように戒厳令の予行演習でもしているような、非常事態宣言な

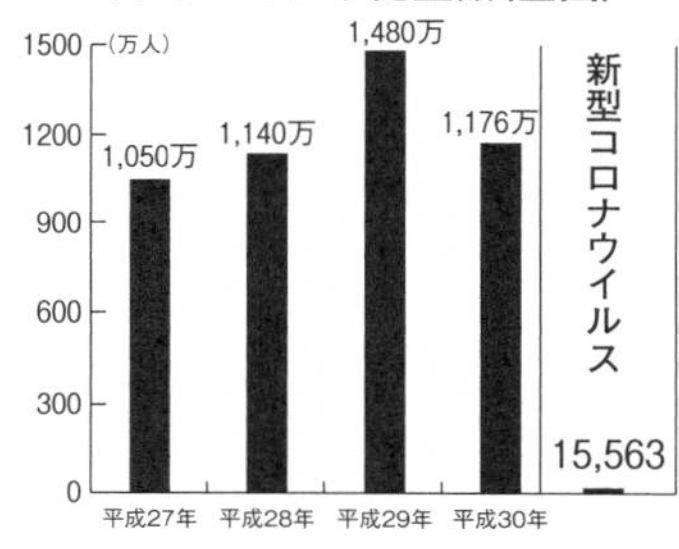


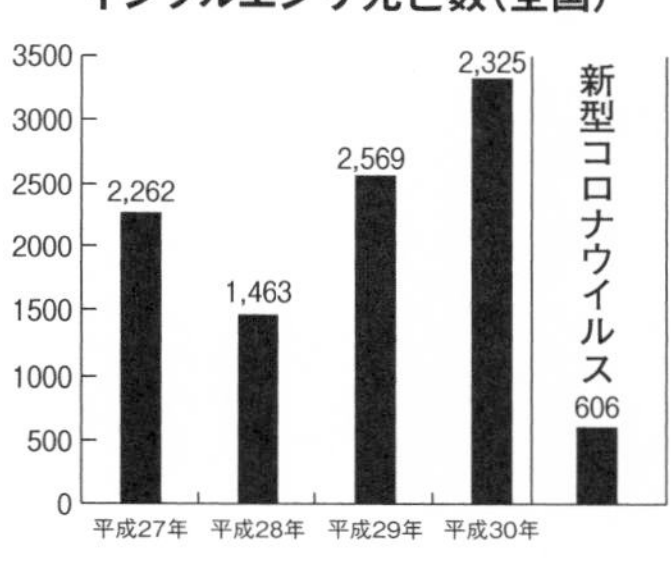


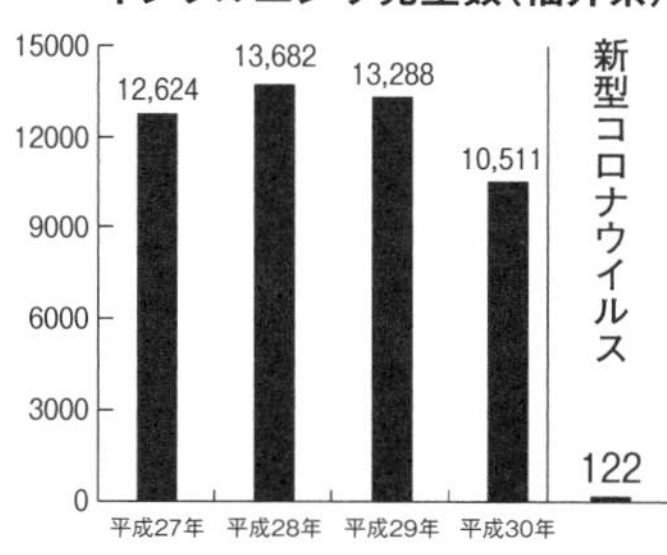


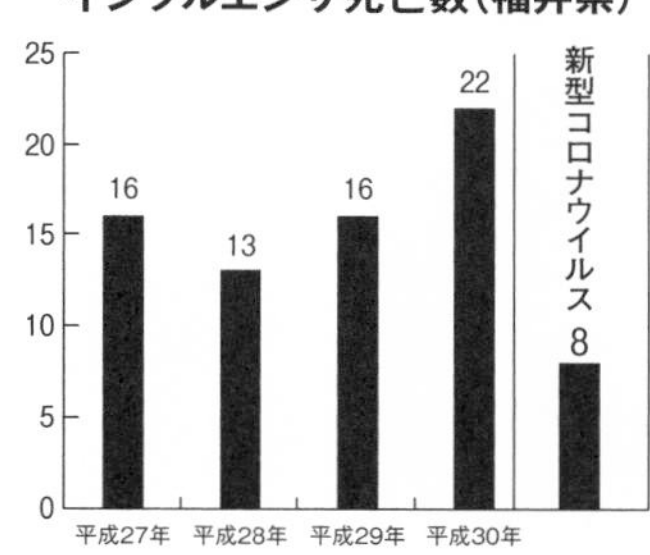


ど発令されたことなど一度もなかったのに、なぜ、今回だけ、これだけ大騒ぎするのか。

国内、県内の既存（季節性）インフルエンザ罹患者数は、上のグラフの通りですが、ここ数年の日本国内の季節性のインフルエンザは、年間１０００万人の患者数、３０００人の直接死者、（引き金となって死ぬ）拡大死者１万人を出しています。

これに対し、新型コロナウイルスの感染者は１万５５６３人、死者６０６人（２０２０年５月９日現在）という状況で、インフルエンザと比較すれば極端に小さい。

通常のインフルエンザの統計には、感染しても発病しない人は感染者にカウントしていない。

新型コロナの発生で、通常のインフルエンザの患者数が5分の1に減少し、死者数を大幅に減らしている。

新型ウイルスであるだけに、不安が募るのは当然だが、ウイルスの変異は速く、その面ではいつも「新型」となる。

しかし、同じウイルスによる感染症であり、毎年、秋から冬にかけて猛威を振るっているインフルエンザの犠牲者と比較するとヒートアップしすぎだともいえるのではなかろうか。

## 何が起きているのか

人間は、生存力を高めるために恐怖に対しては過剰反応するので、恐怖心でパニック状態になる。そうなれば、自分で考えることができず、手っ取り早い情報源であるテレビなどにかじりついて、その報道を鵜呑みにしていく。

そしていつのまにか、「欲しがりません、勝つまでは」と戦時中の鬼畜米英と闘うように自粛、非常事態宣言の同調圧力のもと、戦争賛美に洗脳され支配されていく。


「早く治療薬、ワクチンを！」


申請からわずか3日で認可された新型コロナウイルス治療薬「レムデシビル」は、エボラ出血熱向けの余剰在庫のようだが……。

治療薬の副反応は何か、ワクチンの中に何が入っているのか、身体の中に「異物」を入れることには、いつも慎重であるべきだ。

不安をあおる加熱したテレビ画面には、世界各地で起きる事件や事故の被害者役専門の俳優（クライシス・アクター）が登場しているという。

ＰＣＲ検査は、新型コロナウイルスだけに反応するのではなく、インフルエンザを含む風邪などの8種類の病原体にも陽性反応するようだ。

「騒動」に目を奪われている間に、ドサクサにまぎれて、やりたいことをやるのをショック・ドクトリンというのですが、舞台裏で何が起きているのか。

大掛かりな仕掛け、シナリオ、演出、大芝居の臭いを感じ、「ついに、来るべきときが来た」というのが、率直な私の受け止め方です。

## 新世界秩序（NWO）

### 人口削減計画

日本では、人口減少対策、少子化対策、子育て支援が実行されていますが、国連やWT

O（世界貿易機関）、アメリカ政府要人は「人口削減」を公然と表明し、行動計画を立てています。

18世紀のイギリスの経済学者マルサスは、『人口論』の中で、次のような論理を展開しています。

①人間の存在には食糧が必要である。②人間の情欲は不変である。しかし、③食糧は算術級数的にしか増加しないのに対し、人口は幾何学級数的に増加する。したがって、④人口は絶えず食糧増加の限界を超えて増加する傾向がある。⑤このようにして増加した「絶対的過剰人口」は「貧困と悪徳」によって「積極的抑制」がなされるべきである。

つまり、堂々と「増加しすぎた人口は貧困などによって抑制されるべきだ」と論じていたのです。

人口削減計画を具体的なプランに練り上げるために尽力したのは、ローマクラブの初代会長アウレリオ・ペッチェイ。彼は、科学者や社会人類学者を集め、世界の人口を半減させるためのプランを策定するよう命じたのです。その結果、戦争よりもはるかに手っ取り早く、確実に成果をあげることのできる感染症が、人口削減計画の大きな柱となったのです。

そして、現在は、「ワクチンで人口削減できる」とビル・ゲイツなどが公然と明言しています。

これらは、能力に劣っている者の遺伝子を排除して、優秀な人類を後世に遺そうという優生学の成果に立脚し、有色人種差別や障害者差別を理論的に正当化します。

## 人工ウイルス＝生物兵器

今回の新型コロナウイルスは一説に生物兵器だといわれています。これを裏付ける情報として、ＦＢＩからの情報でハーバード大学教授と二人の中国人が21種類の生物化学兵器を密輸したことで起訴されています。

新型コロナウイルスは、４つのＨＩＶ（エイズウイルス）と同じたんぱく質が挿入されている人工ウイルスであることは、ＨＩＶでノーベル賞を取った学者など各国の研究者が証言しています。

コロナウイルスは２０１５年7月23日に特許が許可されている生物特許ウイルスだとい

います（ビル・ゲイツ関連会社が取得）。

生物特許は発見しただけで認可されるものではなく、遺伝子組み換えのように人工で発明したものだけが認可を受けられる。

つまり、コロナウイルスは人工ウイルスであり、エイズ、エボラ、SARSなど人間が開発したものと同じで、まさに生物（細菌）兵器となっています。

## 軍事兵器

軍事兵器というと戦闘機やミサイル、核兵器などを思い浮かべますが、今や人工で地震や津波を起こす地震兵器（HAARP〔ハープ〕）、気象を変更する気象兵器、化学物質、ウイルスなどを散布する生物兵器（ケムトレイル）など何でもあります。

「気象兵器、地震兵器は軍事的、政治的に常識」（浜田和幸総務大臣政務官〈菅直人政権時代〉国会答弁）

異常気象、地震、豚コレラなど自然発生のものか、検証する必要があります。また、生物兵器としてのワクチンも気をつけなければなりません。

世界中で最大5000万人が死亡したといわれているスペイン風邪の本当の原因は、「武器化」されたインフルエンザの生ワクチンが含まれた予防接種を受けた米国の軍人がヨーロッパに派遣され、感染が拡大されたものだといわれますし、エイズ（HIV）の発生もポリオワクチン接種が指摘されています。

## EVENNT（イベント）201

2019年10月18日、中国・武漢コロナウイルス検出2ヶ月前にビル・ゲイツ（ビル&メリンダ・ゲイツ財団）が主催したイベントで、パンデミック（感染爆発）に備えるシミュレーション（想定実験）として、近い将来のウイルス蔓延を予告、ウイルスはコロナと断定、病状、拡がり方、対策は現状を言い当てている。

1. 新たな「コロナウイルス」が生まれます。
2. 感染者はインフルエンザの症状、呼吸障害または重度な肺炎を訴えます。
3. 重症者は緊急措置を必要とし、多くが亡くなります。
4. 国際間移動がパンデミックに変えてしまいました。
5. 世界中で患者の数は病院のキャパシティを上回り、仮設施設にも患者が溢(あふ)れます。
6. 人々は感染を恐れ外出を避けます。

## アングロサクソン・ミッション＝第三次世界大戦

第三次世界大戦が計画されている。それはまず初めに、イスラエルのイラン攻撃で始まる（それ以前に、イランは悪い国だという印象操作を繰り返し、イスラエルの攻撃を正当化させておく）。

イランまたは中国に報復するよう誘発し、中東に限定核戦争を起こさせる。

世界中が恐怖の目で注目するようになれば、世界の各国政府を通して、旅行・通信・人々の会合を強力に規制し命令する。

身近にテロリストがいないか、人々が恐怖に陥るので、各国政府に強力に警備するよう要求、命令、主張し、それが正当化される。これが欧米で計画される「戒厳令状態」。

やがて停戦。世界中が恐怖と混乱の渦へと投げ込まれる。すべてのことが注意深く演出される。緊張による極限状態がつくり出され、すべての西側先進諸国で、厳しい社会統制、軍事統制を敷くことが正当化される。どこの国でも国民は強力に管理される。

そして、次に「中国が風邪を引く」。

中国は、中国の国民の遺伝子を標的にした生物兵器によって攻撃され大打撃を受ける。

その後、欧米にも同様の伝染病、インフルエンザのようなウイルスがばら撒かれ、世界中に広がる。

はっきりわかるくらい多くの人が死ぬことになり、人々がパニックになるので、欧米諸国で全体主義的軍隊による厳重な警備体制が敷かれる。

その後、本当の戦争が始まる。正当化されて、「第三次世界大戦」と呼ばれるものが大量の核攻撃を伴って始まる。

そのときまでに全世界人口の50％が削減される。ただ戦争や伝染病によるものだけではなく、そのような状況においては「社会基盤が停止」するからだ。

これは、世界支配を目論むエリートが書いた第三次世界大戦、人口削減計画のシナリオだといわれるものですが、10年前の2010年に公開された動画で、中国への生物兵器による攻撃が述べられていて、予告しているようにも思えます。

## ニュー・ワールド・オーダー（新世界秩序）

1．このままいけば、世界の人口は爆発的に増加し続けることを危惧し、人口を削減する必要があると考え、白人中心主義の優生思想に基づき現在の世界人口70億人を5億人にする。
2．国という単位を壊して、世界統一政府を樹立する。
3．エリートたちが世界支配者となって、人々をロボットのように奴隷化して監視する。

4．私有財産制を廃した共産主義世界政府、独裁政府をめざす。

# 人類総マイクロチップ接種計画

## オバマケア

オバマケアといえば、米国オバマ大統領時代、国民皆保険をつくるということで注目された目玉政策です。

しかし、何千ページにも及ぶ法案の中に、米国民は全員マイクロチップを埋め込むということが書かれてあり、すでに、軍関係者は全員、埋め込まれているようです。

このマイクロチップには、あらゆる個人情報が入っており、GPSによって、位置が特定可能となり、地球上のどこにいても監視されます。

今のチップは、電波の送受信ができる極小チップなので、注射器で注入できるようになっており、ワクチン注射や予防接種で、体内に極小チップを入れられても、痛くも痒（かゆ）くもないのでわからないようです。さらには、薬剤に埋め込む計画を製薬会社が考えているようで、それほど微細になっているようです。

ワクチンで、免疫力を破壊し、ウイルスに感染させる、サイトカイン・ストーム（免疫を大暴走させる）など、ワクチンが人口削減兵器として利用されることもあるといいます。

現にアメリカ政府要人やビル・ゲイツは「ワクチンで人口削減できる」と公言しています。

## アジェンダ21

アジェンダ21は、1992年、ブラジルのリオデジャネイロで開かれた国連環境サミットで採択されたもので、正式名を「21世紀人類行動計画」といいます。

当時は、地球温暖化、砂漠化、種の絶滅、水質汚染など地球の危機が叫ばれ始めた頃で誰もが共感しました。

しかし、それが、「最大の地球環境問題は人口爆発である」「地球はこれ以上の人々を養うことはできない」と、環境危機が人口問題にすりかえられてしまいました。

アジェンダ21は、２０１５年にさらに具体的な方針を盛り込んだ改訂版が作成され、９月に米・ニューヨークで開催された国連のサミットで発行されることになりました。

その内容は、２０３０アジェンダ（行動計画）、持続可能な開発目標（ＳＤＧｓ（エスディジーズ））として、２０３０年までになんとしても実現すべきことを「待ったなし」で各国に迫るものでした。

「環境破壊と人口過剰による持続可能性の危機の問題に直接有効なのが人口削減」

ではどの程度の人口削減が２０３０年までの達成目標として掲げられているのかといえば、なんと、現在地球上で70億人を突破した人口の95％が削減されることになるという。

人口の大幅削減、国家主権の廃止、私有財産の禁止など地球政府樹立をめざすような内容となっているようです。

## ID2020

昨年（2019年）6月、動物愛護法が改正され、2022年までに犬や猫にマイクロチップの埋め込みを義務化する法案が日本で成立しました。人間にもこのような動きが進められています。

「ID2020」プロジェクトによって、世界中にRFIDマイクロチップを埋め込み、デジタルIDを義務化しようとしています。

ビル・ゲイツのワクチン普及プロジェクトで、ワクチン接種によって、人類に電子タグをつけ管理することを推進する官民機関ともいえます。ワクチン接種義務化は製薬会社とウィン・ウィンの関係になります。

TED2010会議で、ビル・ゲイツは、「何よりも人口が先だ。現在、世界の人口は68億人である。これから90億まで増えようとしている。そんな今、我々が新しいワクチン、医療、生殖に関する衛生サービスに真剣に取り組めば、およそ10～15％は減らすことができるだろう」と人口削減目的のワクチン活用を明言しています。

ビル&メリンダ・ゲイツ財団を運営するビル・ゲイツは、新型コロナウイルスの感染拡大について予想していたり、ワクチンの工場を個人資産の数千億を投じて建設していたりと、今回の感染拡大における救世主として、世界から一目置かれています。

一方、インドでビル・ゲイツ財団が推進してきたポリオワクチンが49万人もの子どもを小児マヒにしたとか、コンゴ民主共和国、アフガニスタン、フィリピンでのポリオの流行はビル・ゲイツのワクチンが原因だとして、インドでは殺人罪で最高裁まで争われており、最近では、アフリカでも同様に殺人罪で告訴されています。

日本は、ビル・ゲイツ財団らの感染症対策イノベーション連合に27億円余の資金を拠出し、ワクチン開発を援助しています。また、このタイミングで「世界規模の医療に貢献した」として、春の叙勲（2020年）、旭日大綬章を授与しています。

ビル・ゲイツらの次の計画は、全世界対象の予防接種と18ヶ月のロックダウンだという情報が流れています。

## ナノチップとスマートダストの危険性

信じ難い極小サイズのナノチップとスマートダストがひとたび人体に入り込むと、そのまま体内に留まって他のチップとの人工ネットワークを形成します。しかも外部から遠隔操作が可能です。

これが重大な基本的人権の侵害であることや、健康問題に発展するであろうことはいうまでもありません。

これからの新世界秩序（ニュー・ワールド・オーダー）は外界（環境や社会）からではなく内界（自分の体）から支配しようとしてきます。

## さまざまな支配方法

人類の歴史の中で、人々が支配者と奴隷という2つの身分制度に分かれていた社会の例は数多くあります。支配者は通常、奴隷たちの金銭、食料、水、武器などの生活必需品を支配し、奴隷制度を維持していました。これは「環境を支配する」やり方です。

最近の歴史では、資源だけでなくプロパガンダ、つまり「心理的支配」も行われてきました。

さまざまな形があり、例えばインドのカースト制度や、ローマ、中東、ヨーロッパでの王族の血統による民の統治（王権神授説）、1930年代のナチスドイツとソビエトが行った中央集権化（一人の独裁者や少人数の委員会による何百万人もの民の支配）、それに欧米（特にアメリカ）のCIAなどの諜報機関による高度なPRや技術によるマインドコントロールなど。

人々は知らないうちに遠隔操作で潜在意識を操られ、それは大衆の行動として表れています。

## ナノチップとは？

「ナノ」は「マイクロ」よりも3桁小さい、「10億分の1」という意味の言葉です。

マイクロチップは米粒程度の大きさですが、ナノチップはもはや肉眼ではまったく見えません。

ナノチップは環境から電力を得ることができるので（電池を必要としない）、およそ100年ほどは稼働し続けることができます。

最初から人体に注入されるのではなく、まずは製品に入れ込まれる予定です。

ちなみに、チップは神経細胞に溶け込んで、融合することができます。

新世界秩序計画によって約100兆個のナノチップが世界の人間に入れ込まれるといわれています。チップが入れば、皆がタグ付けされて新世界秩序による識別が楽になります。

この計画の証拠として、他にも多くの特許や文書が動画の中で提示されています。

これはフィクションではありません。ヒューレット・パッカード社は計画の実行者として例に挙げられています。

## ワクチン＋スマートダスト＋5G
## ～身体がデジタル化し遠隔操作される～

### スマートダストとは？

「スマート」と名前が付いた製品はアヤシイということに、すでに気づかれている読者の方も多いと思われます。

これは「スマートアジェンダ」と呼ばれる計画で、目的は地球全体を網羅する巨大電磁ネットワークをつくることです。

家庭用電化製品、家電、食品や飲料品、動物、植物、人間も含めてすべてをこの地球グリッドに組み込んでしまおうという計画です。対象が移動すると、その動作もすべてグリッドを通してセンサー（塵(ちり)）で感知されるようになります。

スマートダストも放送と受信の両方ができるミニコンピューターとして機能します。「悪魔の塵」の異名を持つ技術です。これをマイクロ電子機械センサー（MEMS）といいます。

2013年時点では米粒ほどの大きさだったこの技術も、今後はさらに小型化が進むでしょう。塵を空気中に散布することで、食品を介して人体に入り込みます。

スマートアジェンダは国連のアジェンダ21（2030アジェンダ）のことです。スマートグリッドはIoT（モノのインターネット）のことで、スニーカーも洗濯機もみんなインターネットに接続されます。最新の5Gネットワークを使うことで、この計画が完成に近づきます。

スマートダストの存在は、全人類の人権に対する脅威となりえます。人類が技術を使役するのではなく、技術が人間を使うようになってしまうでしょう。

## ナノチップとスマートダスト

ワクチン、遺伝子組み換え作物、生物工学食品、地球工学、それから「ケムトレイル」も、実はすべてナノチップとスマートダストの計画と関係があります。

実はこれらはナノチップやスマートダストを体内に注入するための「配送システム」なのです。

「ケムトレイル」の中にスマートダストが含まれている場合、空気中に散布された塵は容易に体内へと侵入し、体内にある他の塵と通信を開始して独自のネットワークを構築します。

そしてこのネットワークは遠隔操作が可能です。どんなに食べ物や行動に気をつけても、ケムトレイルで散布されたスマートダストを吸い込まないようにすることは困難です。

毒をまく。飛行機雲はすぐ消えるが「ケムトレイル」は残留する

新世界秩序の首謀者たちは、人類に入れたスマートダストやナノチップを通してＩｏＴスマートグリッドと脳機能マッピングなどを組み合わせようとしています。

そして究極の目的である、遠隔操作による大衆の思考、感情、行動を操作（プログラミング）することで、地球上のすべての人の支配を実現しようとしています。

「ケムトレイル」というのは、昨今世界中で毎日目撃されている「米軍機ボーイング767による大量エアロゾル散布」のときに生じる飛行機雲状の跡のことです。

飛行機雲は数分で消えるが、エアロゾル（バリウム塩やアルミニウム塩含有ガスのこと）は何十分経っても消えない。なぜなら大量の無機物が水滴の核として浮遊するからです。

この散布の目的は、「地球温暖化防止」のためなどといわれていますが、散布するバリウム塩やアルミニウム塩は、風雨で川に蓄積し、飲料水に入ったり、直接大気から吸い上げて、結局人体内部に蓄積します。特に、脳みその中に溜まる。そうすると、それが「アルツハイマー病」、「ギランバレー症候群」、「パーキンソン病」などを引き起こす。さらには、「不妊化作用」もあるといわれています。

一方、「インフルエンザワクチン」などワクチン内部に入る防腐剤の「チメロサール」、免疫補助剤の「スクアレン」などもやはり同じような効果が人体に引き起こされます。

## 新技術はカッコよくて便利だとメディアが宣伝する

このような邪悪な目的があるということは当然ながら周知されることはありません。むしろ、この技術がどれだけ素晴らしく、カッコよくて、最先端で、流行っていて、効率的であるかが宣伝され続けるのです。特に「速くて」と「便利」という言葉がよく使われ、技術の施行が推進されていることに注目です（人々はより速く、より便利なもののために自分たちの自由、健康、プライバシーをトイレに流しているのです）。どこに行っても人工電磁波フィールドに囲まれている社会など、体にいいはずがありません。

こうして同調圧力を利用して人々に技術が押し付けられます。「社会に適合するために、この技術を導入しましょう」と押し付けてきます。

これまでの政府プログラムと同様、ナノチップも最初は任意で実施され、気がつけば義務化しているでしょう。

ただの妄想ではありません。スマートグリッドが確立すれば、年中無休で監視され、追跡される監視社会が到来します。

いつも注意を払い、すぐに信じ込まないように考える必要があります。正しい情報を得てください。ナノチップやスマートテクノロジーの本質と危険性を理解しましょう。体の中にチップが入ると、知らない間に遠隔操作されてしまいます。

## 孫への手紙　～リセットされる世界～

芥川龍之介の小説に「河童」というのがあります。

お母さんの大きなおなかの中にいる子どもに、「生まれてきたいか」と聞いて、「生まれたくない」と言われれば、「お母さんのおなかがぺしゃんこになる」というお話です。なぜ、そんな話を思い出すのかというと、お前たちの時代が、「生まれてきてよかった」という時代になるか、とても心配だからです。

もちろん、お前たちが安心して暮らせる社会をつくるために、爺は奮闘努力をしているのですが、どんどん日本という国家が壊されてきました。

「独立国家」は、関税自主権、通貨発行権を持ち、自給自足できる体制を堅持することが重要です。

「自給自足」の中でも、食料は重要です。しかし、昨今、国内の食料自給率などという言葉は消え、加えて、種子法の廃止、種苗法の改悪で、農家が自分で種を採ることすら違法になって、海外から「遺伝子組み換え」の種や農産物を買わされることになります。それには「毒」が入っており、食べ続ければ、必ず病気、ガンになります。するとと薬が必要とされ、製薬会社が空前の利益を上げます。

日本では、ガンが増え続けています。ガン撲滅は、もとから正さなければなりません。毒を口に入れないようにすることが大事です。

## 不妊化と人口削減

飲み水や歯磨きにフッ素、スポーツ飲料や飲み物にはアスパルテームなど人工甘味料、穀物には遺伝子作物、肉類には成長ホルモンやプリオン、空気にはエアロゾル、電子機器には高周波、携帯電話やホットカーペットには電磁波、ワクチンには水銀やアジュバント、睡眠薬やうつ病薬には自殺願望や他殺願望刺激剤など、すでに私たちが、日々口にしている水道水や食物、医薬品にはじまり今こうして呼吸している空気までもが有害な化学物質にまみれています。つまり日常的に晒されているこれらの化学物質によって私たちは遺伝子的に絶滅させられます。

お前にも聞こえているでしょうが、テレビは連日、連夜、明けても暮れてもコロナ報道一色で、毎日、感染者や死者を数え、多くの人を震え上がらせているようです。爺はまったくテレビを見ないので、人から聞く話ですが、随分と恐怖心をあおっているようです。

人を支配するには恐怖心で身も心を凍結させ、マインドコントロールし、誘導していきます。

テレビは仕掛ける人たちが所有する道具なのだということを知っておくべきです。

さて、こんな大事なときに新型コロナウイルスが発生し、何よりも妊婦であるお母さんが感染しないか心配で、爺はほとんど近寄らないようにしていました。

本当に怖い病原体が体内に侵入してきたとき、真っ先にそれと対峙するのは、医療でも薬でもなく自分の免疫力です。

緑茶、海藻類、発酵食品、しょうが、にんにくを食べましょう。

風邪をひいて、熱を出すのは自分がウイルスと闘っているからで、最大の免疫力を発揮していますから、解熱剤で下げるのはやめるべきでしょう。

爺は、お前が丈夫な体で生まれてくるように、無農薬の「寝かせ玄米」を炊いて、お母さんからお前に届けています。爺も多少は、協力していたんだと、別に知っても知らなくてもいいのですが。

とにかく元気で安心して生まれてきてください。大丈夫です。爺がついています。

〝アグリツーリズモ Nora〞のようす ②

## ●Vol.99（2020年2月1日発行）

# 孫への手紙　〜本当の話をしよう3〜

テレビからは電磁波が出ているので、あまり近づかないようにすること。そして、部屋に入ったら、すぐにテレビのスイッチを入れることをクセにせず、テレビをできるだけ見ないようにして、静かなお部屋で本を読むクセをつけてほしいと思います。
なぜなら、テレビはみんなに催眠術をかけて、みんなを操り人形のように操るからです。だから、「テレビを見るとバカになる」と覚えてください。

**テレビを見るほど馬鹿になる**

アメリカの刑務所では、テレビ番組を流し続けることによって囚人を大人しくさせます。

テレビをずっと見ていると、前頭葉という自発的に考える脳の部位がドンドン退化して家畜のようになるのです。

日本では小泉政権が構造改革（おカネ持ちだけを優遇する社会計画）を開始して以降、長時間のバラエティ番組やお笑い番組が編成されていますが、これは視聴者である国民の思考力を奪い、資本家にとって都合のよい法律をつくるための手段だと指摘されています。このように国策として国民の白痴化を進めることを「愚民化政策」といいます。


テレビの番組欄を見ると、大半がワイドショー、ショッピング、バラエティ、お笑い、ドラマなど、どうでもいいものばかりです。

ニュース番組も冒頭の数分間だけ政治や経済のことを流し、大半の時間はプロ野球などスポーツ情報で埋めてしまいます。

このようなマスメディアの意識操作によって、本当に考えなくてはならないことを考えず、芸能や娯楽に没頭して馬鹿モノになっていきます。

## マスメディアは広告業者であって報道機関ではない

新聞社もテレビ局も営利（おカネもうけ）を目的とする企業です。本業は報道ではなく広告ですから、読者や視聴者よりもクライアント（広告を出してくれる団体）を大事にします。またテレビ局は総務省の管轄にある「免許事業」です。

公共電波を実質タダで使用させてもらっていることから、そのお礼として官庁に言われるままのことを報道するのです。

このように国民をだます道具に成り下がった報道がなされています。だから新聞テレビが伝える内閣支持率や政党支持率など世論調査を信用してはいけません。

新聞テレビは常に広告主である大企業の要請を受け、おカネ持ちに都合のよい者が政権を取れるよう取り組むのです。

電話調査なども平日の昼間家にいる高齢者など、世の中のことに疎い「情報弱者」を対象にしているため信憑性がないのです。

## バラエティのノリで恐ろしいことを隠そうとする

テレビ報道は問題を真剣に取り上げるのではなく、バラエティ番組のような軽いノリで解説し、本当の大事なことをウヤムヤにしてしまいます。

例えばＴＰＰに加盟すると貧しい人が医療を受けられなくなる危険性がありながら、「焼肉が安く食べられます！」などと良い面だけを楽しく伝えるのです。

また憲法改正によって戦争をする国になるにもかかわらず、「お試し改憲」などとテレビショッピングのノリで面白おかしく伝えるのです。

このように視聴者を洗脳するために娯楽番組化した報道番組がつくられています。

## 国民を脅して軍事費を引き上げる

ワイドショーは北朝鮮が危険な国だと騒ぎ立てます。しかし北朝鮮の軍事予算は日本の5分の1以下であり、アメリカの実に70分の1にも満たないのです。

すなわち北朝鮮は日米同盟の圧倒的な軍事力を前にしてはまったく取るに足らない弱小国家なのです。新聞テレビが防衛費などを増やすため国民を脅かすのです。

アメリカではわずか10社程度の資本（投資銀行や証券会社）がテレビ、ラジオ、映画、出版などの企業を所有し、自分たちに都合よく事実を捻じ曲げて報道する仕組みをつくっています。

例えば9・11同時多発テロが発生した際、アメリカ各地でイラク戦争に反対する大きなデモが起こりましたが、新聞テレビは「国民の大半はイラク攻撃に賛成だ」とウソの情報を流したのです。

このようにマス媒体が少数の人たちに独占されています。

アメリカ国務省にはＢＢＧ（放送管理委員会）という部署があり、外交を宣伝によって支えています。ＢＢＧは相手国のテレビ局などと交渉し、アメリカに都合のよい法律がスムーズに成立するような番組づくりを求めるのです。

今やどのチャンネルに合わせても、下品なお笑い番組ばかりなのですが、これは「相手国民の知性破壊が最も有効である」という軍事理論に基づくのです。

そうやってアメリカの投資家はニホン人を低能にして、配当が何倍にもなる法律をつくらせたり、福祉予算を削減させて自分たちの出資する企業の補助金にしたりしているのです。

このように肉体ではなく精神の破壊によって侵略するのも戦争です。

## マスコミがどれだけ酷いことをしたか

各国の研究機関が小保方晴子さんの公開した手順に従い実験したところ、ＳＴＡＰ細胞の再現に成功しました。マスコミは小保方さんが捏造論文を発表したとして非難しましたが、ＳＴＡＰの実在が証明されたのです。

つまりＳＴＡＰ細胞が医療に活かされると製薬会社が大損害を被るため、新聞テレビは資本家に命令されるままノーベル賞級の発見を葬ったのです。

## テレビ局が国民に知られてはならないこと

報道機関が外国人に支配されると大変なことになるので、テレビ局の外国資本の上限は厳しく制限されています。

ところがすでに民法キー局（系列の中心となるテレビ局）の外資比率は、電波法に違反し20％を超えているのです。

ですから二国間協議（日米で交わされる貿易協定）によって、国民健康保険が解体される可能性について触れず、良いことばかりあるかのように伝えるのは、アメリカの医療保険を売りたい外国人投資家の命令なのだと考えるべきでしょう。

## 政府を廃止する運動の高まり

国の役割とは国民を安全で健康な状態に保ち、経済を発展させ、教育や文化の振興に努めることです。

しかし、今の世界で起こっていることは、巨大な資本が国の役割を取り払い、資本にとって都合のよい機関に変えていく運動なのです。

このように少数の権力者が地球上のおカネと資源を独占しようとする流れを「グローバリゼーション」といいます。

## 企業が政府になる

東京、名古屋、大阪、福岡などの都市が「経済特区」になり、これまで労働者を守ってきた法律が廃止される見込みとなりました。

つまり、「経済特区構想」とは日本全体を租界（そかい）（中国を占領した国々が独自の法律をつくり始めた都市）のようにつくり変えることなのです。

自国の政府ではなく、外国の企業や金融機関などに統治を委ねようとする考えなのです。

## 本当の経済の仕組みが語られない理由

景気を良くするには国民一人一人を豊かにしてモノを消費させなくてはなりません。それによって企業の売上が伸びて設備投資（機械を買ったり、工場を建てたりすること）が増え、社会全体におカネが行き渡るというスパイラル（上昇の渦巻き）をつくればいいのです。

しかし新聞テレビに出ている学者はそのような経済の原理について触れません。「国は外国人投資家の配当を増やすため、労働者の半分近くを派遣社員にした。そのために国民が貧乏になった。だから景気が良くなるはずがない」という本当のことを話すとマスコミに使ってもらえなくなるからです。

このように立場や利害にとらわれウソやデタラメを話すことを「ポジショントーク」といいます。

## 日本人のおカネが日本人を貧乏にする仕組み

日銀はおカネの流通を増やすため年間80兆円の紙幣を余分に刷っています。しかし国が国民を貧乏にする政策を推進しているためモノが売れず、設備投資が起こりません。つまりおカネの需要がないのです。

そのため日銀が刷ったおカネは外国に流れ、外国人投資家が株や企業を買ったりすることに使われます。日本国民を豊かにするためのおカネが外国人のために使われているのです。そして、そのおカネによって日本の株もどんどん外国人に買い占められ、今や主要な企業の筆頭株主は外国の資本家なのです。

多くの人々がトヨタやホンダ、ソニーや任天堂などの大企業が日本の会社だと思っています。しかしそれらはニホンで生まれ育ったというだけのことで、今では大株主である外国の資本家によって経営されているのです。

## アメリカと日本の関係を表す言葉

ニホンはアメリカの国債（アメリカ国民の税金を担保にして発行される借用書）を100兆円以上買っています。しかし、それを日本の国内で保管したり、処分しておカネにすることは認められていません。

つまりおカネを巻き上げられているのです。だから円が安いときにアメリカ国債を売れば利益が出せるのに、それができず50兆円以上の損を抱えているのです。

## 巨大すぎる詐欺だからこそ見過ごされる

日本銀行は国の機関ではなく民間企業です。それなのに、原価20円の一万円紙幣を銀行などに貸し出し（売りつけ）て、莫大なおカネを稼いでいるのです。

また日銀は400兆円の国債（国民が将来に納める税金を担保とした借用書）を所有していますが、これも自分たちが刷った紙幣と引き換えに、ただ同然で手にしたものなのです。

このようにあまりにも手口が大胆すぎるため気づかれない心理的盲点を「スコトーマ」といいます。巨大すぎる詐欺だからこそ見過ごされる。

## 消えた年金は誰のものになるのか

政府は国民が積み立てた年金を株で運用し、損失は30兆円を超えるとも指摘されています。

しかし、日本人が失ったおカネはどこかに消えるのではなく、株を売り抜けた外国の投資会社の口座などに移し替えられるのです。

つまりアベノミクスとは外国人投資家が安く仕入れた株を、高く買い取っていただけのことだったのです。

政府が国民のおカネを注ぎ込むことにより、価値のない株を価値のある株のように見せかけられているのです。

## 若者は自分たちが売られたという自覚がない

日本には人材派遣会社がアメリカの5倍もあり、今やその数はコンビニよりも多いのです。

つまり日本は世界で最も「労働者の賃金をピンハネする会社」が多い国となり、そのため国民はドンドン貧しくなり、税収が落ち込み、経済そのものが縮小しているのです。

これは当時の経済金融大臣が外国人投資家の依頼によって派遣法を改定したことによるものであり、彼らの配当金は今や3倍にも引き上げられているのです。投資家が政治家を都合よく使うのです。

## 食料の自給が止まる

新聞テレビが「自由貿易で経済が発展する」とあおっていますが、関税（自国の生産者を守るため、外国製品に税金を課す制度）をなくして、繁栄した国は一つもありません。

二国間協議（日米間で交わされる貿易協定）が決定されると、アメリカ産の安い農産物や肉が入ってきます。アメリカは多額の補助金を自国の生産者に支給していますから、日本の農家は価格で対抗できないため廃業を余儀なくされます。

実際にアメリカと貿易協定を結んだメキシコなどでは、農民の約60％が失業し、国内で安い食料を作ることができなくなりました。

このように自国の経済を発展させるため、他国の市場を侵略しようとする考え方を「帝国主義」といいます。

## 先進国ではなくなる

日本の一人あたりGDP（国内総生産）はドル計算で40％近くも減り、世界ランキングで20位まで後退しています。今や中国やシンガポールなどのほうがずっと豊かになり、この差はこれからもっと広がるのです。

日本は過去20年にわたり「小さな政府」（福祉や国民サービスを削り、そのお金を大企業の減税に充てること）に取り組んできたので、消費が減って

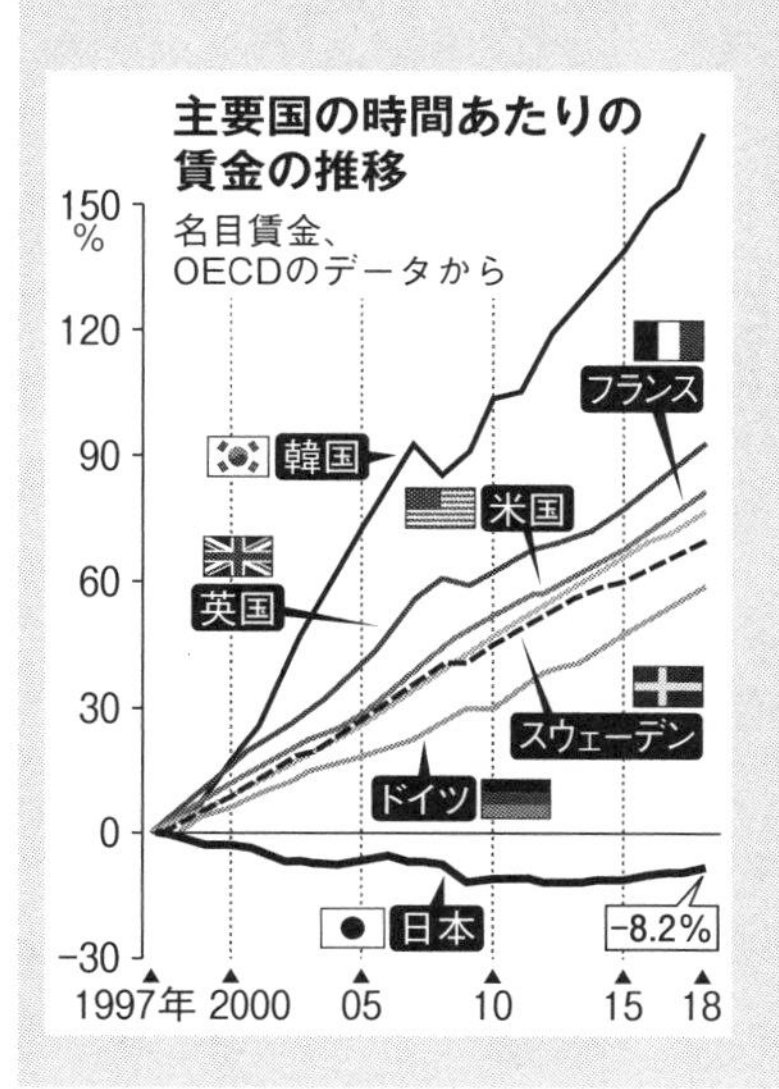

モノが売れなくなり、会社の99％を占める中小企業の経営が悪化し、国民の多くが貧乏になったのです。

このような無能な政治によって経済の規模が小さくなることを「シュリンク」といいます。

## 日本は「領土」を売る世界でただ一つの国

どこの国でも国防のため外国人による土地の取得を制限しています。しかし、日本ではその規制が非常に緩いため、北海道や九州、沖縄や首都圏など防衛のための重要な土地が外国資本に買われているのです。このように自国の領土を切り売りして国を解体しようとする者たちがいるのに政治が動きません。

## そもそも考える教育を受けていない

日本の学校は自分の頭で考えることを教えません。学校で行われることは、公務員がつくったカリキュラムであって教育ではないのです。

それは国とマスコミの言うことを信じさせるための教育要綱ですから、大人になっても分析的に判断することができないのです。

小学校の6年間、中学校の3年間、高校の3年間、大学の4年間、そして30年以上にわたる社会人生活においても、延々と洗脳（価値の刷り込み）は続きます。学校に代わって企業とマスコミが私たちに規範（どのように考え振る舞うべきか）を叩き込み、「つくられる」のです。

スマホの普及によって読書の習慣が急速に消えました。しかし、スマホの情報をいくら見ても、読書で得られるような語彙力や集中力は身に付きません。

今や大人も暇さえあればスマホをいじっていますから、理性（何かを理解する能力）が子どもとあまり変わらなくなったのです。

● Vol.98（2019年12月5日発行）

# 奪われる日本の食の安全

## モンサント裁判

「発ガン性があることがわかっていたら、私はラウンドアップを中学校の敷地内や生徒たちの周りに散布することはなかった。

しかし、モンサントからは何の連絡もなかった。悪性リンパ腫であることを医師から告げられたときに、まだ幼い子どもたちを抱える自分がどれだけ混乱して苦しんだか、おわかりだろうか」

サンフランシスコ郊外の中学校で、校庭の害虫駆除や雑草防除を担当するマネージャーだったジョンソンさんは、2018年8月10日、ガンを発病した原因は除草剤ラウンドアップにあるとしてモンサントを訴えた。

裁判で、サンフランシスコの陪審員がモンサントに、損害賠償金と懲罰的損害賠償金の合計2億8920万ドル（約320億円）もの支払いを命じる評決を全会一致で決定した。


モンサントは数十年にわたって、環境活動家たちから「モンサタン」と揶揄されてきた。モンサタンとは社名と悪魔（サタン）を合わせた造語であり、ラウンドアップの主成分のグリホサートは、動植物に極めて大きな影響を与えるとして、長く忌み嫌われる対象となってきた。しかし、モンサントに異を唱える流れは広がらなかった。

世界各国の市民や政治家、官僚、科学者たちがどれだけ疑問に感じても、巨額な資金を駆使した対策によって封印されてきた。

何をしてもモンサントの牙城は揺るがないと、食の安全を求める人々は閉塞感に覆われていただけに、サンフランシスコ発の一報は世界中を驚かせた。

モンサントが水面下で仕掛けてきた政治家への献金、政府高官や科学者への贈賄、公的な研究機関の買収、さまざまな隠蔽（いんぺい）行為などが機密文書を介して明るみに出たことは世間に衝撃を、モンサントには打撃を与えた。

その後もモンサントの敗訴が続き、このような裁判が１万３０００件も起こされている。

ジョンソン氏のニュースは世界を駆け巡り、多くの国でラウンドアップの即時販売禁止、使用制限が相次いでいる。

## 最大４００倍に緩和された残留農薬の基準

２０１７年12月、厚生労働省は、突然グリホサートの残留基準を緩和した。

小麦はそれまで５ｐｐｍだったのが、一気に６倍に引き上げられて30ｐｐｍに、ソバは０・２ｐｐｍから１５０倍の30ｐｐｍへ、ひまわりは０・１ｐｐｍから４００倍の40ｐｐｍへ、それぞれ緩和された。

厚生労働省は、グリホサートに発ガン性などが認められず、一生涯にわたって毎日摂取し続けても健康への悪影響がないと推定される1日あたりの摂取量を設定したという。

今や多くの国が、ラウンドアップやその主成分であるグリホサートを禁止しているか、あるいは数年のうちに禁止する動きを見せているというのに、日本は世界の動きとは対照的に推進している。

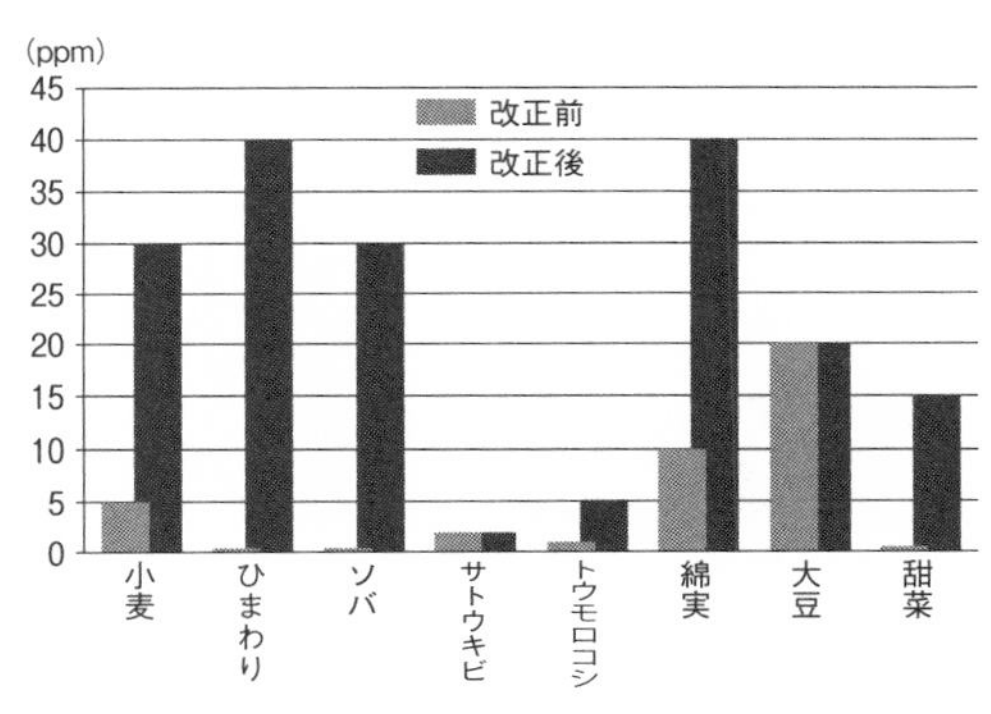


大幅に緩和されたグリホサートの残留基準

日本だけは、ラウンドアップやグリホサートを使った商品が、ホームセンターや100円ショップで売られるほど手軽で、小学校や中学校の校庭にはじまり、子どもたちが遊ぶ公園などの公共施設、家庭用の菜園や個人宅の庭でも雑草駆除に便利だという理由で、危険性に対して何の疑いもなく使われている。

テレビCMでは、「環境にやさしい農薬」と宣伝されるなど、野放し状態だ。

これまでモンサントはグリホサートは分解されて尿から排出されるので人間に蓄積されることはないと言

い続けてきたが、毛髪検査では23人中19人からグリホサートが検出されている。

## 殺虫剤も残留基準を緩和

ニコチンに似たネオニコチノイド殺虫剤は浸透移行性が高く、殺虫効果が高い。散布する回数も減らせるため、1990年代に使用量が増大した。

その結果、ミツバチの大量死や大量失踪が相次いで報告された。2007年までに、北半球で生息していたミツバチの4分の1が消えたという報告もある。

EUは規制に乗り出し、フランスはグリホサートの個人への販売を真っ先に禁止したが、ネオニコチノイド系農薬は、20年7月には全面禁止となる。韓国でも屋外の使用が禁止されている。

ところが、日本では世界の流れと逆行し、15年5月には厚生労働省が、ネオニコチノイド系農薬の基準を緩和、ほうれん草では、従来の13倍となる40ppmに引き上げられた。

世界の流れはこの2、3年で変わった。

米国では遺伝子組み換え農産物の作付けは減少して、有機栽培が年に10％の割合で、EUでは年に7％の割合で増えている。
ロシアでも法律で遺伝子組み換えの農産物は輸入も生産も禁止し、中国でも有機農業が成長を遂げている。

日本だけが逆行している。

## 孫への手紙　～本当の話をしよう2～

「人身受けがたし」と仏教ではいわれます。自然界の中で人間に生まれ、生かされて生きています。空気、水、肉や魚、植物などいただいて生きています。

自然のめぐみに感謝し、自然と調和して生きる。これが日本人の生き方です。

お前たちのお父さんとお母さんがいて、お前たちが生まれてきました。おじいちゃん、おばあちゃん、お父さん、お母さん、兄弟、これが一緒に住んでいて家族です。今はいませんが、それまで家をつないできてくれたのが、先祖です。

これが「家」というものです。これが、基本の形です。

家が集まって、社会があり、国があり、世界があります。昔は、家と家との結婚で、今のような自由恋愛による結婚ではありませんでした。

男と女があり、男の特徴、女の特徴があり、男の役割、女の役割があります。もちろん、お母さんのほうがお父さんより力持ちならば、役割が違っても、もちろんかまいません。でも、昔の形は、男は外に出て仕事をして、女は家にいて洗濯や掃除、子育てをして家を守りました。これが昔から続いてきた「型」でした。

時代が変化しますから、昔から続いてきたことも変化せざるをえないのですが、長く続いてきたものには、続いてきた理由があり、それが、その国、その地域、その家庭にふさわしいものだったからだと考えると、変えることに慎重にならざるをえません。それを「保守」といいますが、仏様、自然、国、家を考えるとき、つながっているものをよく考えてください。「改革」すると、根本が壊れてしまう可能性があるので深く考えてください。

最近は、軍国路線を推進して中国人や朝鮮人を蔑視するのが保守だと本気で思っている人がいて、要は右翼左翼、愛国売国の定義付けすら怪しい時代になってきました。

伝統的な文化や風土を継承し、国民経済を発展させ、国体の護持に努めるのが保守なのに、そのすべてを経済特区（外国企業の自由な投資や特権的な税制度を保証する地域）やＴＰＰなど自由貿易によって根こそぎ解体する政治が行われていても、売国だとは気づかない。

「日本人の言語機能の劣化。愚昧化、幼児化。まともに議論できる大人が少なくなった」といわれています。

「自由と平等」は、両立しない矛盾する言葉です。

自由、平等、友愛、民主主義どれも言葉の響きは良いのですが、その旗印の下に、革命や戦争がありました。

偶然の出来事ではなく、仕掛けられてきたのが歴史です。家を壊し、家庭を壊し、国を壊す。

これが世界主義、共産主義、グローバル社会、世界統一政府をめざす新世界秩序と呼ばれるものです。

カネの流れから歴史や現実を捉えなくてはならない。

人類史にイデオロギー対立が引き起こした戦争なんて一つもないのです。イデオロギーはまやかしです。

例えば、ベトナム戦争をとってみても、アメリカはフランス領の独立運動に介入して兵器や物質を大量消費することが目的だったわけで、資本主義が勝とうが共産主義が勝とうがどうでもよかったのです。

そして、戦勝国となったベトナムも、結局は共産主義を骨抜きにされ拝金主義を導入し、アメリカ型の市場経済に移行したのです。

ロシアにしても中国にしても何億人もの犠牲の上に築いた社会主義体制ですが、かなぐり捨てて、市場経済を導入したわけですからマルクス・レーニン主義も毛沢東主義も主体思想もマネーに平伏した。「イデオロギーは堕落しやすい」ということです。

「真珠湾奇襲攻撃はルーズベルトと山本五十六が仕組んだものだった」

アメリカが対ドイツ戦に参加するためには、何か悲劇的な大事件でもなければ、国内の反論、議会の動きを考えるとまったく不可能であった。

そのため、ルーズベルトは、ドイツと同盟を結ぶ日本にアメリカを先制攻撃させることを考え、山本五十六を協力者にして、真珠湾を攻撃させた。

で、なければ、日本がアメリカに先制攻撃するなどありえない。

パープル（紫）という日本語の暗号は、真珠湾攻撃前に、完全に解読されていた。日本海軍の真珠湾奇襲をハワイ方面の防衛部隊にだけ知らせなかった。大事な空母は移動させ、老朽化した主力艦隊をきれいに二列縦隊に並べて打ちやすいようにセットされていた。

「だまし討ち」、怒りの火を燃やすのに、これ以上の言葉はない。

「リメンバー・パールハーバー」のスローガンが生まれ、ルーズベルトは、アメリカを第二次世界大戦参戦に踏み切らせることができた。

卑怯なだまし討ち、先制攻撃、先に手を出したのは日本、悪いのは日本、まんまと罠にはまった。

戦後の東京裁判では、なぜか海軍からは戦犯が出ていない。

山本五十六を戦後アメリカで見かけたという人が何人かいるという本を読んだこともあるが、歴史の真実とは得体の知れないものなのだろう。


社会には、資本家階級と労働者階級があり、資本家によって、労働者は搾取され隷属させられる。資本家を打倒して、労働者が解放されれば、労働者が主役となって、搾取のない自由、平等な豊かな社会になれる。

「共産党宣言」、マルクス主義は労働者の解放理論として、「万国の労働者団結せよ」、「プロレタリアート独裁」など共産主義、社会主義、労働者革命の根幹となった。

しかし、真実はユダヤ民族の解放理論で、労働者革命を装ったものであった。

国を持たないユダヤ民族がキリスト教国の中で迫害され差別されてきた２０００年

の歴史から解放されるための「革命」、ユダヤ民族がキリスト教国を破壊し、ユダヤ世界政府をめざしたもので、ルーズベルトもマルクスもレーニンもトロツキーもみんなユダヤ人です。

「革命」も「戦争」も「世の中を震撼させる出来事」も、すべて計画され、仕組まれています。

それらを検証する際には、「誰がおカネを出したのか」、「誰が利益を得たのか」を見ると深層に近づくことができます。

日露戦争に、なぜ、ユダヤ人、ジェイコブ・シフが資金を出したのかといえば、「反ユダヤ」を掲げる帝政ロシアを打倒するためで、その後、ロシア革命を起こし、ユダヤ政権を実現させせました。

第二次世界大戦中、敵であるはずの日本にも、ナチスドイツのヒトラー政権にも石油を供給し、金融支援をしていたのも彼らユダヤ国際金融家でした。

それは、できるだけ戦争を長引かせ、武器を買わせてもうけ、双方の国を消耗させ、膨大な戦費調達の借金をさせ、弱体化させ、支配するという策略です。

## 〈北朝鮮のミサイルは落ちてこない〉

北朝鮮は、すでに150以上の国々と通商関係を築いていて、北朝鮮経済の25%が輸出に依存しているといわれており、「狂犬のような独裁者が君臨するイカレた国」という北朝鮮像は、日本とせいぜいアメリカの報道番組に見せたワイドショーの中にしか存在しません。独裁という面からすれば、北朝鮮も日本も大差ありません。

北朝鮮には、コバルト、ウラン、チタニウム、タングステン、金銀などの鉱山や油田があり、そのような天然資源の総額は1000兆円とも推計され、各国から莫大な投資を呼び寄せています。

すでに現地で設立された合弁企業は350社を超えているといわれています。経済特区（外国企業の自由な投資や特権的な税制を保障する地域）などもどんどんつくられ、80年代の中国さながらの「開放政策の過渡期」に入っているといわれています。

いずれにしろ北朝鮮は「前期代的な鎖国状態」にあるのではなく、とっくに「開国」を果たし、国際社会の一員になっています。

北朝鮮がミサイル発射を繰り返した2007年の8月以降も、各国はプロジェクトを凍結しなかった。日本をはじめNATO同盟国が北朝鮮に対する資本やイノベーションの提供が何を意味しているのか、この点をよく考えなければなりません。

かつて、金日成は「毎年の軍事予算6000億円のうち約4000億円は日本のパチンコ業界から送金されたものだ」と公言していたようですが、「北朝鮮の本体は日本にある」ともいわれています。

北朝鮮が大人しい普通の国なってしまったら、アメリカは自国の軍事予算を引き上げることも、日本や韓国に兵器を売ることもできなくなるので、これは非常にまずいわけです。

## ミサイルが落ちるとは誰も本気で思っていない

北朝鮮のミサイルが発射されたとこれまで何回報道されてきたのだろうか。

ミサイルが飛んでくるところでオリンピックをやるだろうか。

総理大臣はゴルフ、夫人はカラオケ、官僚は夏休みの外遊。

Jアラート（空襲警報）が発動された当日も国際線の飛行機は通常運航されており、株価も何も動きがない。

福島原発事故が発生したときは24万人もの外国人が脱出したが、北朝鮮ミサイルでは何の動きもない。

そもそも日本国内には135ヶ所の米軍基地があり、その軍人と家族、雇用による民間人が10万人もいる。首都圏には海軍基地があり、第7艦隊が駐留、東京にはアメリカ大使館、ゴールドマン・サックスなどの支店もあり、これらにミサイルをうちこむなどありえない。

つまり、新聞テレビがあおる北朝鮮脅威論には根拠がない。脅威論はかくも馬鹿げているのです。

## 北のミサイルはなぜ発射されているのか

第一の目的は、アメリカが80年代の中南米諸国でやったように日本に軍事政権をつくって国民を植民地支配することだと思います。

「北朝鮮がミサイルを発射する危険な国だから、憲法を改正して、軍事費を引き上げ、これに備えなければならない」という単純なストーリーをつくります。それによって、戦争国家をつくり、兵器産業の市場を拡大する狙いがあると思います。

日本と米国と北朝鮮は、おそらく仲良しで、共同で軍事費を引き上げるために協力していると思います。

実際に北のミサイル脅威論を受け、日本の防衛費は過去最高となっています。アメリカの兵器企業トップ10社の株価も、北のミサイルが発射されたとき、全面高騰していました。

トランプ政権の閣僚は軍事企業のステークホルダー（株式保有者）で、それによって莫大な利益がもたらされたでしょう。

北朝鮮対策のために、迎撃ミサイルや戦闘機をアメリカから買わされる日本ですが、北のミサイルが発射されるたびに、株価が上がり、資産が増える構造です（軍事企業の大株主が防衛大臣だった）。

軍事はアメリカの基幹産業です。北朝鮮のような「ならず者国家」が必要です。戦争がなくなれば、「兵器の生産と消費のサイクル」が維持できません。

日本の企業も、米国の軍事会社と提携をしていることを考えれば、日本の経済もアメリカの戦争経済と密接に関わっているわけで、日本の産業界も北朝鮮有事の受益者なのです。


**第二の目的は、アメリカ（多国籍企業）の新植民地主義**

アメリカの外交戦略がモノやサービスで他国の市場を奪うだけでなく、政治機構そのものを乗っ取り、暴力的に統治しようという新植民地主義です。

だからそのために北朝鮮は非常に都合がいい。非常事態を根拠として日本に軍事政府を樹立させることができる。

資本規制撤廃（外資による東証企業買収の簡易化）、労働者の非正規化、労働権の解体（解雇の自由化）、郵便やインフラや学校の民営化、多国籍企業優遇（租税回避の黙認、法人税の引き下げ、消費税の還付や補助金の支給）、その原資確保のための福祉・医療・教育の切り捨てと消費税率の引き上げ、関税の撤廃、外資による農地と漁業権の取得、混合診療の解禁（保険不適用治療の拡大）、先軍体制（戦争国家化により社会資本を軍事に優先する体制）の確立などです。

今後、アメリカは経済特区（外国企業の自由な投資や特権的な税制度を保証する地域）、EPA（経済連携協定）、FTA（自由貿易協定）、TPP（環太平洋連携協定）などを通じ植民地体制を強化する目論見です。

そしてさらにアメリカ国債の買い取りを強制する、アメリカ系企業への補助金や還付金などの増額も要求する、アメリカ製兵器の買い取りもさらにノルマ化するでしょう。

それだけでなく、種子法を廃止して農業も乗っ取る、国保を骨抜きにして医療保険の市場も牛耳る、民営化によってインフラや水道も分捕ろうとしている。

もっとも大半はすでに実施されています。

## ●Vol.97（2019年8月5日発行）

# 孫への手紙　～本当の話をしよう1～

### 〈消費税増税が日本経済を破壊する〉

爺は、お前たちが、安心して幸福な人生を送れるような社会をつくろうと頑張っていますが、「私たちはもういいけど、この子たちの時代は大変だ」という声のように、おそらく、多くの爺や婆たちは、お前たちの将来が爺や婆たちの時代より良くなるとは思っていないでしょう。

生きづらい時代になってきている肌感覚のようなものかもしれません。爺も残念ながら、「このまま行くと日本という国が崩壊する」と思っています。

爺は、お前たちだけには、本当の話をしなければならないと思って、これから話していきます。

いかなる時代が来ようと、お前たちは、心に太陽を持って、生きていかねばならないのですから、しっかり聞いてください。

## 日本は世界一の衰退途上国

図1は、最新の世界統計が報告されている2015年と、その20年前の1995年の、世界各国の「GDP」（国内総生産）のシェアのグラフです。GDPとは、その国の各経済主体の「所得」の合計値ですから、GDPが高い国ほど「カネ持ち」だということです。

このグラフが示しているのは、今から約20年前の1995年当時、日本人は、世界の2割近くのおカネを稼ぎ出すほどの、超カネ持ち国家であったが、2015年には、

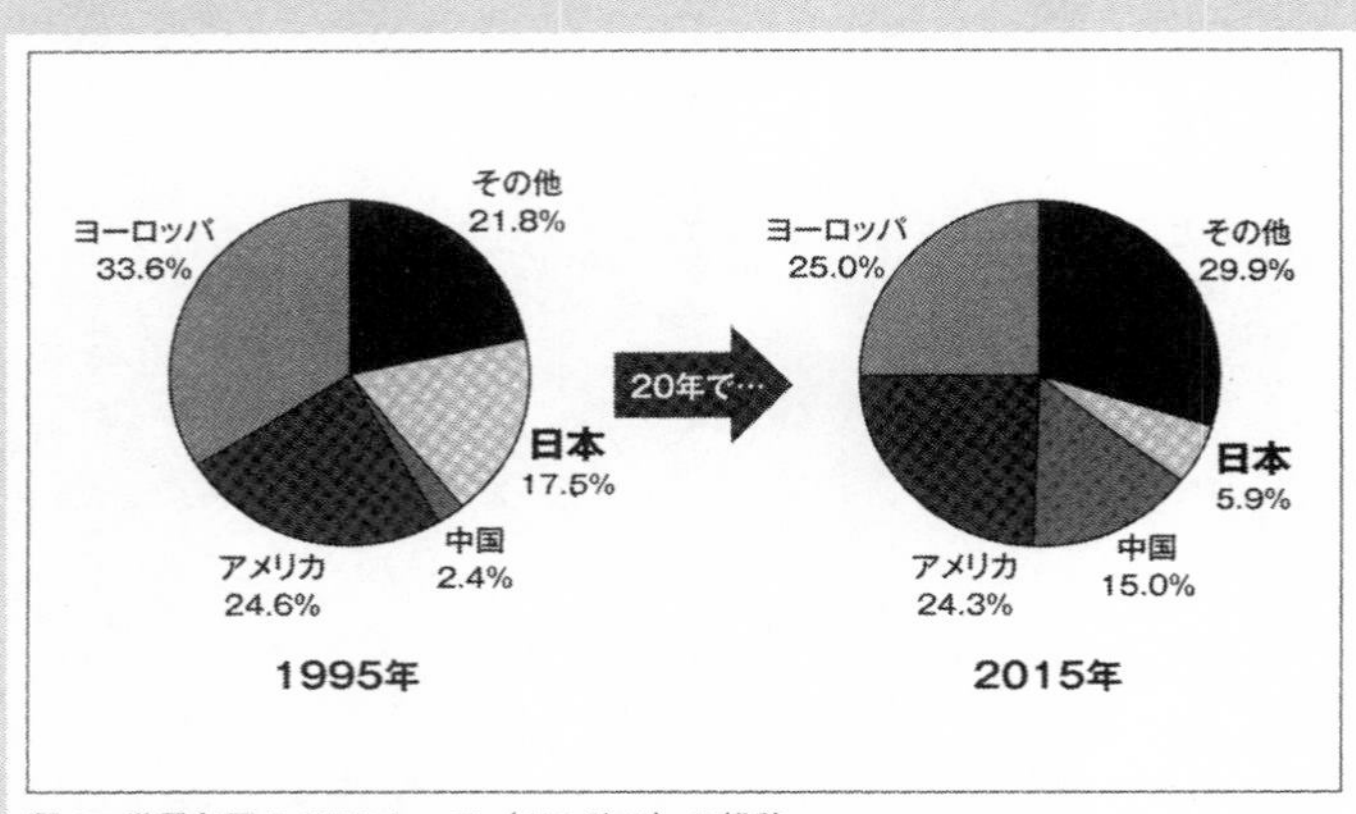


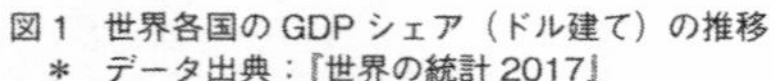

図１　世界各国の GDP シェア（ドル建て）の推移
＊　データ出典：『世界の統計 2017』

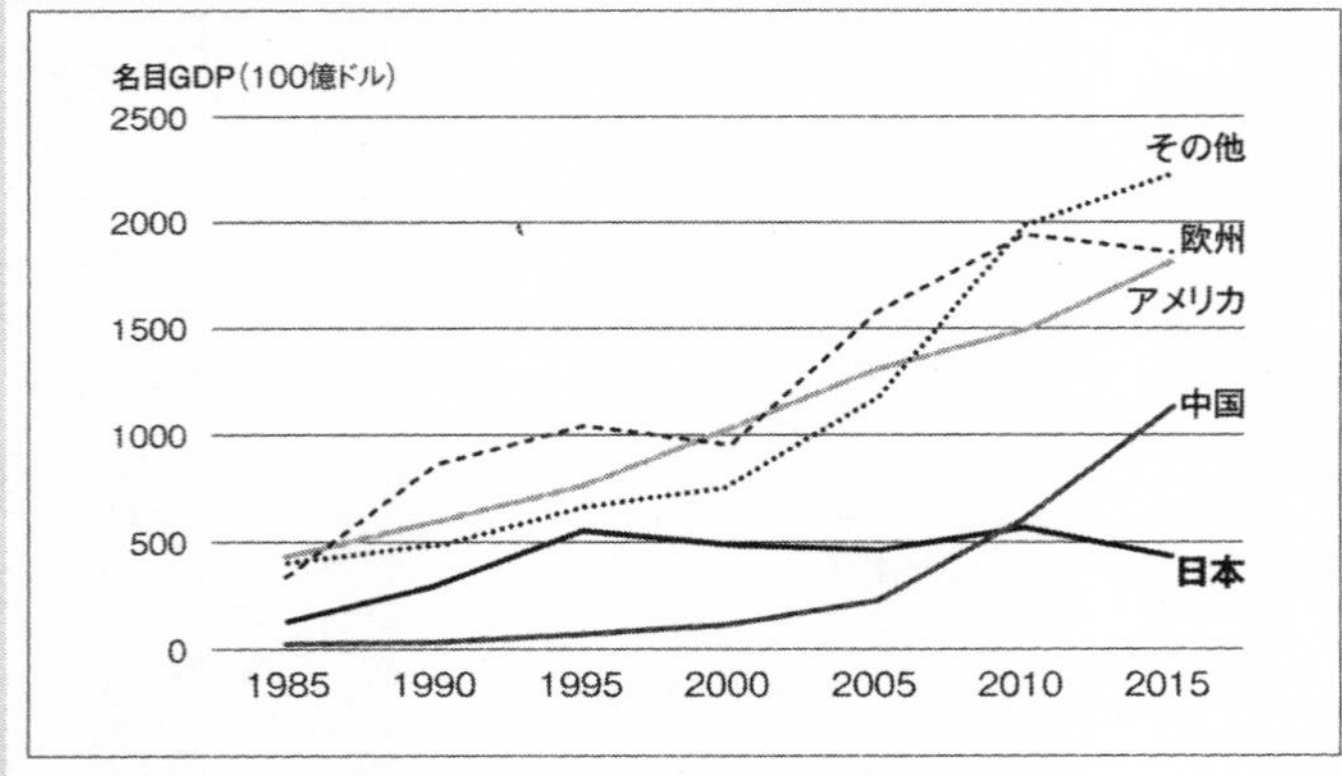


図２　世界各国の名目 GDP（ドル建て）の推移
＊　データ出典：『世界の統計 2017』

**図3◎各国の経済成長率ランキング**
（1995〜2015までの20年間の名目GDP成長率）

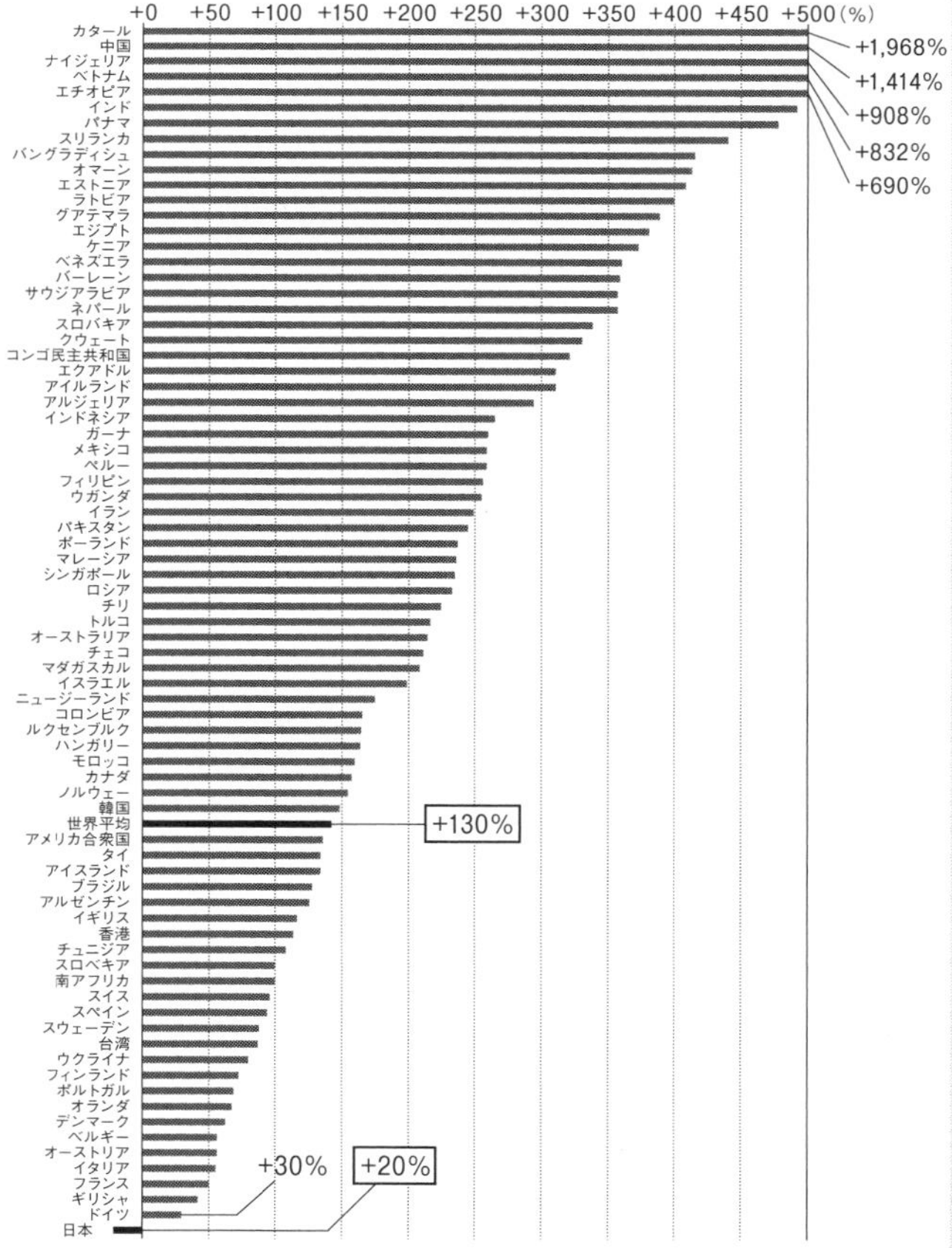

+0 +50 +100 +150 +200 +250 +300 +350 +400 +450 +500（%）

カタール
中国
ナイジェリア
ベトナム
エチオピア
インド
パナマ
スリランカ
バングラディシュ
オマーン
エストニア
ラトビア
グアテマラ
エジプト
ケニア
ベネズエラ
バーレーン
サウジアラビア
ネパール
スロバキア
クウェート
コンゴ民主共和国
エクアドル
アイルランド
アルジェリア
インドネシア
ガーナ
メキシコ
ペルー
フィリピン
ウガンダ
イラン
パキスタン
ポーランド
マレーシア
シンガポール
ロシア
チリ
トルコ
オーストラリア
チェコ
マダガスカル
イスラエル
ニュージーランド
コロンビア
ルクセンブルク
ハンガリー
モロッコ
カナダ
ノルウェー
韓国
世界平均
アメリカ合衆国
タイ
アイスランド
ブラジル
アルゼンチン
イギリス
香港
チュニジア
スロベキア
南アフリカ
スイス
スペイン
スウェーデン
台湾
ウクライナ
フィンランド
ボルトガル
オランダ
デンマーク
ベルギー
オーストリア
イタリア
フランス
ギリシャ
ドイツ
日本

+1,968%
+1,414%
+908%
+832%
+690%
+130%
+30%
+20%

出典：藤井聡『「10%消費税」が日本経済を破壊する：今こそ真の「税と社会保障の一体改革」を』p.49

かつての三分の一まで縮小して、世界の中で日本は、もはやすでに「経済大国」の地位を完全に失っており、中国にその地位を譲っているということです。

すべての国や地域が、1980年代から成長し続けているのに、日本だけがまったく成長していません（図2）。

図3は、世界各国の1995年～2015年までの20年間の経済成長率のランキングです。

この図が明らかにしているように、日本の20年間の成長率は断トツの最下位、しかも恐るべきことに日本を除くすべての国の成長率はプラスであるのに日本の成長率だけがマイナスになっています。

世界平均はプラス139％で、世界経済は20年間で約2・4倍に拡大しているのに対し、日本はマイナス20％となっています。つまり、日本だけが世界の中で唯一「貧困化」してしまったのです。

日本経済が成長しなくなった最大の原因は、1998年から始まったデフレ（デフレーション）です。デフレとは、一定期間にわたって、物価が持続的に下落することです。デフレが起きるのは、経済全体の需要（消費と投資）が、供給に比べて少ない状態が続くからです。「需要不足／供給過剰」が、デフレを引き起こします。デフレの中では、モノが売れない不景気なので、個人や企業は、みな、消費も投資も手控えてしまいます。それどころか、せっせと節約に励むでしょう。

| 現象 | インフレーション | デフレーション |
|---|---|---|
| 原因 | 需要 ＞ 供給 | 供給 ＞ 需要 |
| 対策 | 需要抑制／供給強化 | 需要刺激／供給抑制 |
| 政策目標 | 物価安定・賃金抑制 | 雇用の確保・賃金上昇 |
| 政策（需要対策） | 小さな政府<br>緊縮財政<br>増税<br>金融引き締め | 大きな政府<br>積極財政<br>減税<br>金融緩和 |
| 政策（供給対策） | 競争促進・生産性の向上<br>自由化、規制緩和、民営化、労働市場の流動化<br>グローバル化の促進 | 競争抑制<br>規制強化、国有化、労働者の保護<br>グローバル化の抑制 |
| イデオロギー | 新自由主義 | 民主社会主義 |
| 時代 | 1970年代 | 1930年代、現在 |

それ自体は、まったくもって経済合理的な行動です。しかし、経済全体で見ると、個人や企業が支出を減らしたら、需要が縮小して、デフレはますますひどくなります。楽になろうと節約したら、かえって苦しくなったというわけです。

節約という、人々が苦しさを乗り切ろうとしてとった合理的な行動が、経済全体で見ると、需要を縮小させ、人々をさらに苦しめるという不条理な結果を招く。

このように、ミクロ（個々の企業や個

人）の視点では正しい行動でも、それが積み重なった結果、マクロ（経済全体）の世界では、好ましくない事態がもたらされてしまう。こういう現象を、「合成の誤謬」といいます。

デフレ下での支出の切り詰めという正しい行動が、さらなる需要縮小を招き、デフレが続く。この現象は、まさに「合成の誤謬」です。

これを回避するためには、政府による消費や投資の拡大が必要になるのです。デフレ脱却のためには、消費を拡大し、景気を良くしていかねばなりません。そのためには、政府がどんどん財政出動して、仕事をつくり、公共事業、公共サービス、福祉、教育など充実すべきですし、消費を促進するために減税をしたり、最低賃金を引き上げして所得を増やす必要があります。

インフレ対策、デフレ対策を「アメとムチ」にたとえれば、インフレのときはムチ政策、デフレのときはアメ政策をとるということです。しかし、日本政府は、デフレなのに消費税増税など消費を抑制する「ムチ政策」をとってきて、日本の貧困化を招いてきたのです。

デフレのときに絶対してはならないことは、消費を抑制する消費税の増税です。

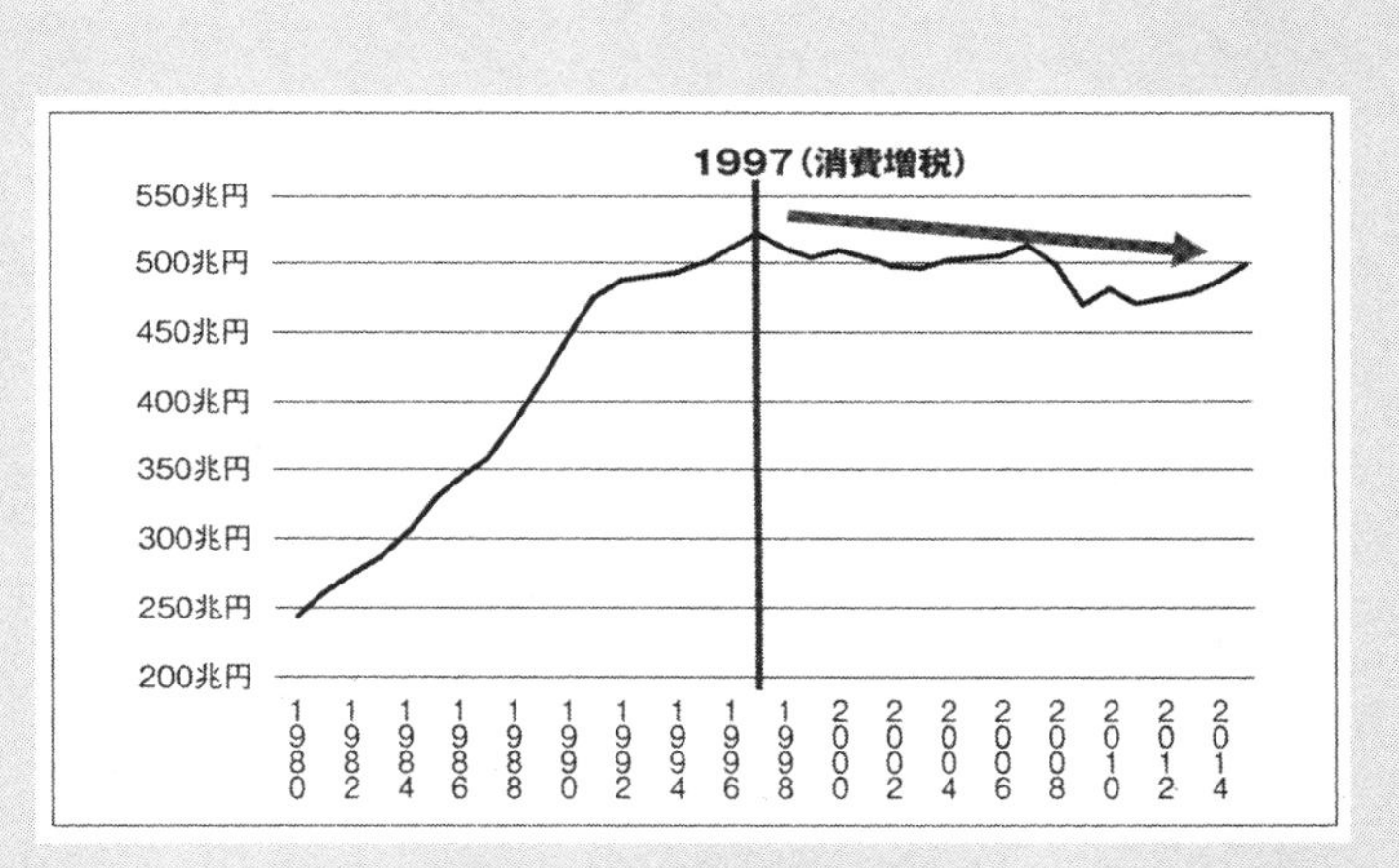


図4　日本の名目 GDP の推移

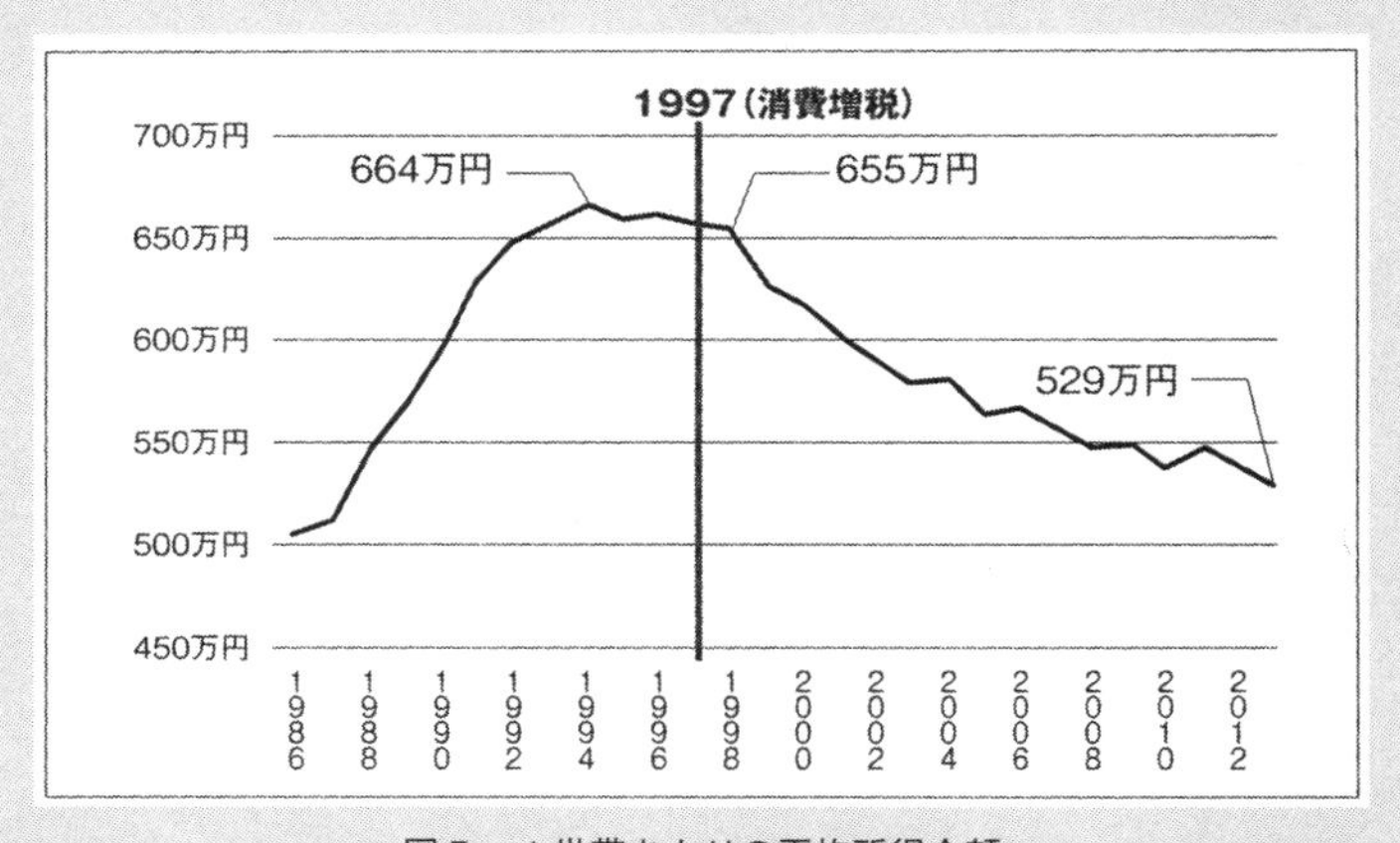


図5　1世帯あたりの平均所得金額

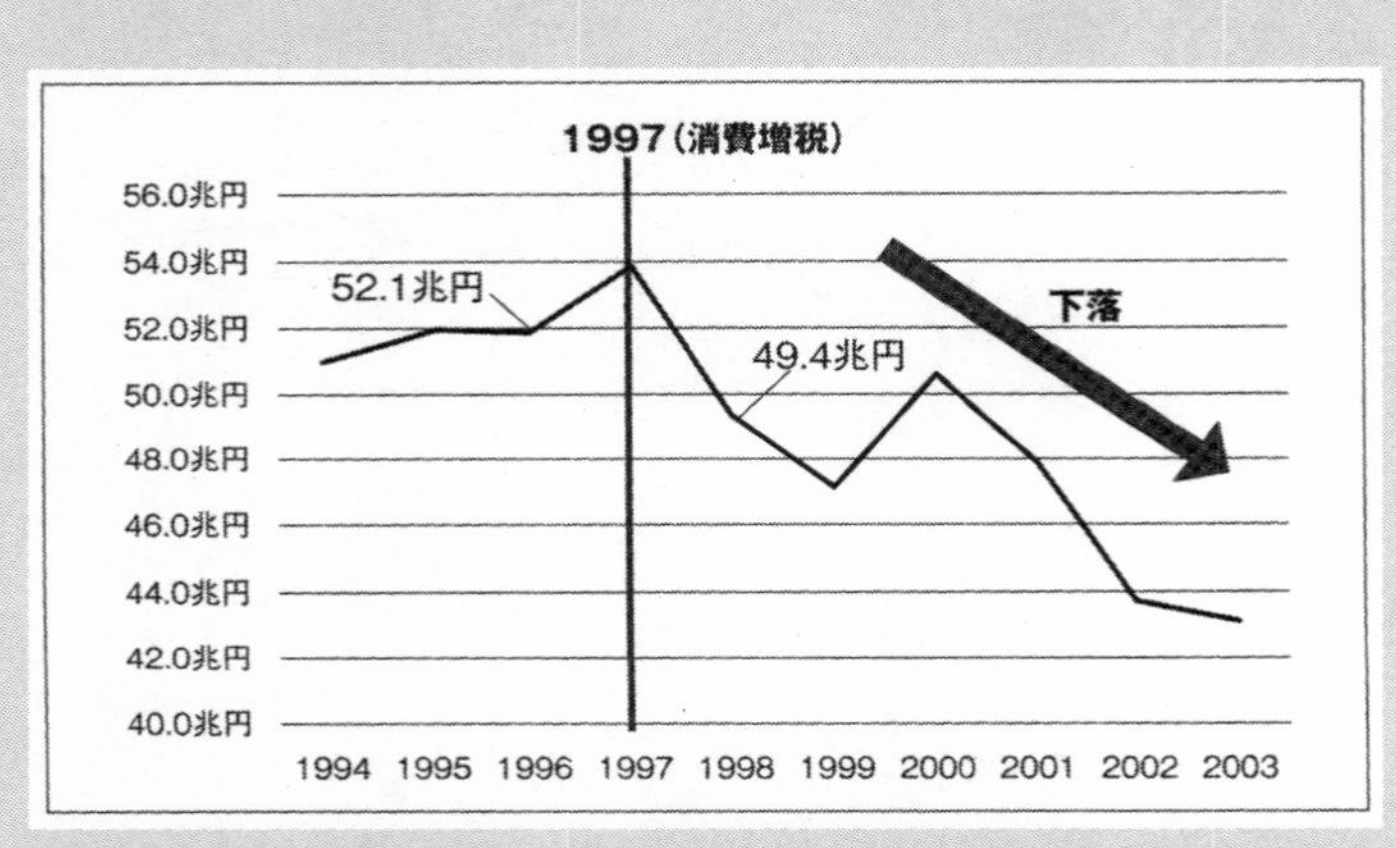


図６　政府の総税収の推移

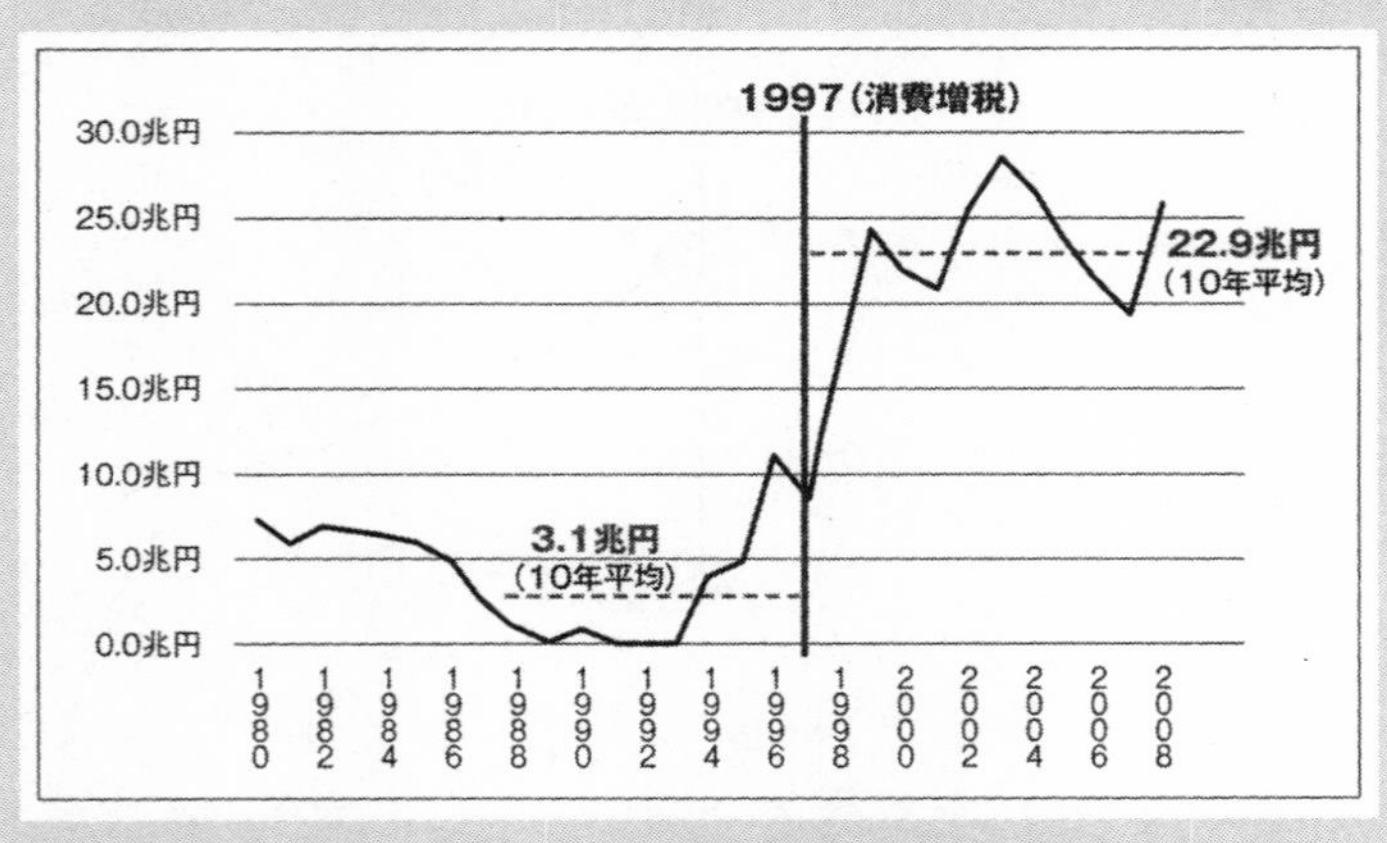


図７　赤字国債発行額の推移

日本は内需が6割を占める内需の国であり、デフレ脱却には、消費税増税など論外で、むしろ消費税を廃止すれば、消費を拡大し、景気が回復し、税収増につながるでしょう。

1997年は、わが国が消費税を3％～5％に引き上げた年で、図4～7は、1997年前と後との比較です。

消費税引き上げ後、経済が縮小し、1世帯あたりの平均所得金額は減少、政府の税収も下降線をたどり、そのために発効する赤字国債が増え続けていることがわかります。

**消費増税で法人税減税**

安倍政権は2013年37％であった法人税率を毎年引き下げて2018年度には29・4％へ、7・26％の大幅に引き下げを行っています。

法人税引き下げの恩恵を受けるのは主として大企業ですが、大企業は減税分を国内投資や労働者の賃金引き上げには向けずに、大部分、株主配当、内部留保、海外投資

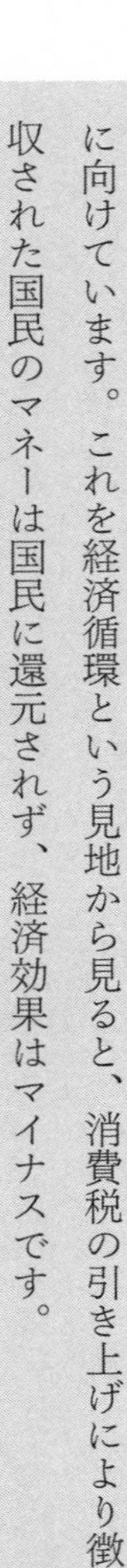
に向けています。これを経済循環という見地から見ると、消費税の引き上げにより徴収された国民のマネーは国民に還元されず、経済効果はマイナスです。

## 日本の消費税増税と法人税減税は相殺される

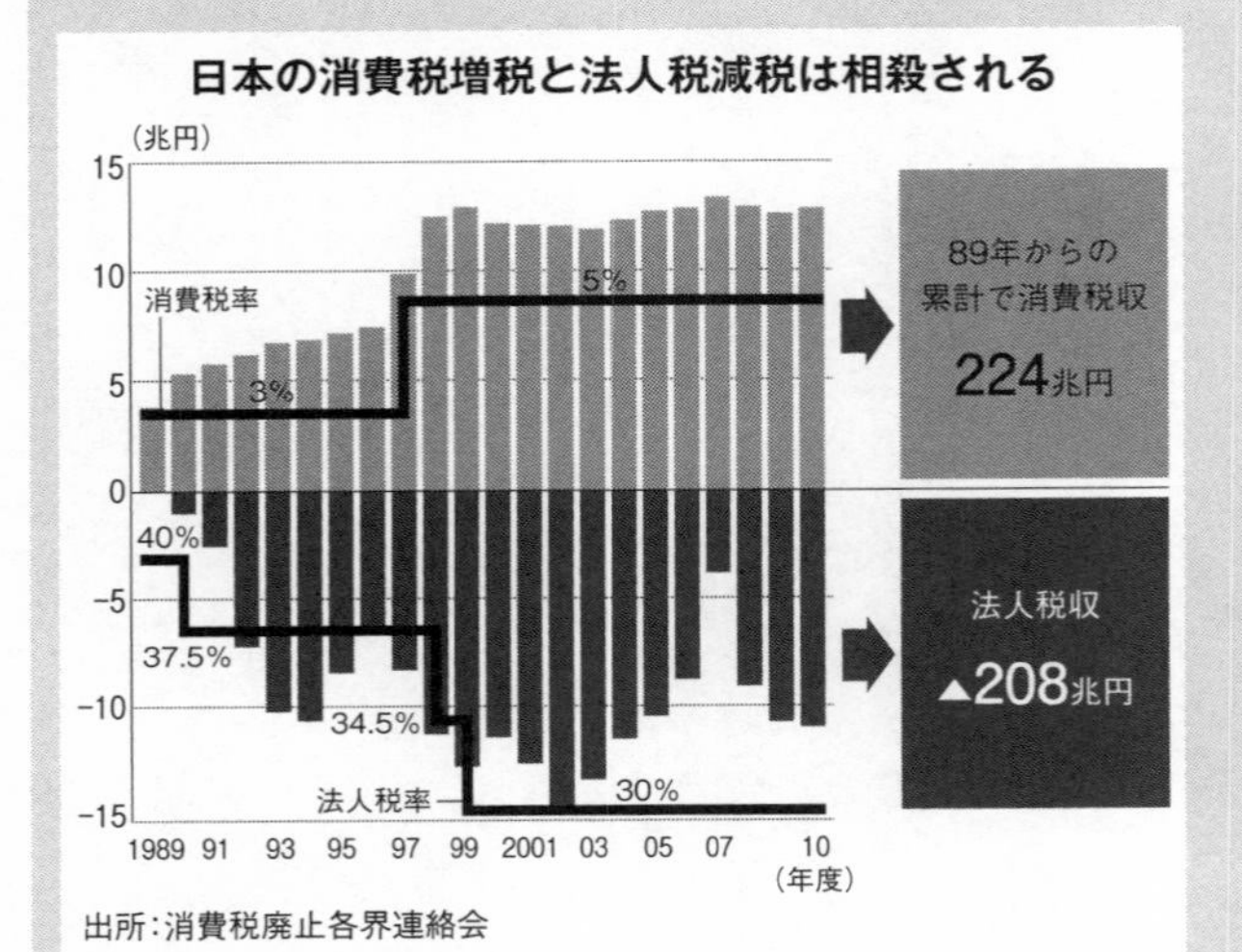


出所：消費税廃止各界連絡会

## 日本では消費税が上がっても、国民負担は増えている

| | | 消費税導入以前（1988年度） | | 2015年度 |
|---|---|---|---|---|
| 消費税率 | | 0% | ➡ | 8% |
| 医療 | サラリーマン本人の窓口負担 | 1割 | ➡ | 3割 |
| | 高齢者の窓口負担（外来） | 定額（800円） | ➡ | 1〜3割 |
| 年金 | 厚生年金の支給開始年齢 | 60歳 | ➡ | 65歳 |
| | 国民年金保険料（月額） | 7,700円 | ➡ | 15,590円 |
| その他 | 介護保険料（65歳以上） | なし | ➡ | 5,514円（全国平均） |
| | 障害者福祉の自己負担 | 応能負担（9割は無料） | ➡ | 定率1割負担 |
| | 公立・公営保育所の数 | 13,657カ所（88年10月） | ➡ | 9,525カ所 |

「国民から召し上げた資金が大企業を通して海外に流れる」ことになり、マクロ経済がさらに貧困になっていきます。

消費税が導入された1989年から2014年までの25年間で、消費税収の累計は282兆円であったが、このうち法人税の減税額の累計で255兆円が使われており、なんと消費税収入の90％が法人税減税の財源になっていることが立証されています。

消費税は消費に対する税金なので、カネ持ちも貧乏人も同等にかかり、所得の低い者の負担比率が重くなります。所得格差が広がる税金です。

消費税収入のほとんどが法人税減税に振り向けられてきました。

つまり、消費税増税は、財政再建のためでも社会保障制度拡充のためでもなく、ただひたすら法人税負担を削減するためのものだったということです。

法人税は利益を上げている会社にかけられる税金です。

所得税は、累進課税で所得の多いものに税負担が大きくなるように設計されていますが、高額所得者の税率は昔の半分になっています。さらに利子配当・株式譲渡益については分離課税となっており、所得水準が1億円を超えると税負担率が大幅に低下する。

つまり、消費税とは貧乏人がカネ持ちの負担を軽減し、カネ持ちを助けるものだということです。

● Vol.94-95（2018年9月29日発行）

# 水道民営化法案に意見書

時折、この国の政治は、いったい、どこの国の誰のためにやっているのだろう、誰が操っているのだろうと思うことがある。

日米構造協議での「対日要求書」に応じる「アメリカのための改革」が「構造改革」。改革することが正義となって、規制緩和、自由化、民営化が叫ばれ、何もかも投資の対象となって、国の財産が次々とグローバル企業（外資）に売却されている。

そのための重要な法案が、私たちの知らない間に国会に上程され、そそくさと可決されていく。すでに「学校民営化」や主要農作物種子法の廃止法案が可決されている。そして今、水道民営化法案が衆院を通過（2018年7月5日）している。

主要農作物種子法が廃止された。

種子法は、稲・麦・大豆といった「主要農作物」の種子を対象に、各都道府県に奨励品種の指定と生産を義務付けるというもので、日本の「食料安全保障」に大きく寄与してきた。「種子」を「公共財」とみなしてのシステムは、行政によって、予算化され、種を管理・保存し、農家へ安定的に提供してきた。

しかし政府は、「民間事業者が参入しにくい」という理由で、これを廃止。民間の参入により農業の「競争力強化」を図るとしている。

だが、種子に関する規制が緩和され、海外の危険な遺伝子組み換え作物が日本に流入するのは火を見るより明らかだ。「種子」は「公共財」として保護されることがなくなれば、単なる私企業の私有財と化す。

## 水道民営化法案

水道施設がこれから老朽化し、人口減少の中で水道収入も減少すると設備更新ができなくなるので、運営権を民間譲渡するなど対応できるようにするための法案だといいます。しかし、諸外国の水道民営化の例を見ると、参入した外資企業が、まずやるのは雇用の大幅削減、続いて、水道料金の値上げ、料金が4～5倍に跳ね上がる。採算が合わない貧困地区への水道管の敷設をしなかったのに加えて、困った人に水を分け与えることも禁止し、公園などのただの水も飲めなくしている。

もし水道事業が外国企業に渡ったとき、日本の特殊な側面としての、水道水に含まれる多量の放射性セシウムの検査をするだろうか。そういう意味では、将来的にどんな薬物を混入された水を飲まされるか、わかったものではない。

世界の水は、これからどうなっていくのか。それに対して、政治家は、自国の国民を守るためにどのような政策を持つべきなのか。

２０５０年までに世界人口の40％が厳しい水不足に直面するとの予測がすでに出ている。各国政府が理解し始めているように、水不足は経済的、人道的な課題であるだけでなく、地政学的な問題もからんでくる。淡水の供給量が次第に減少していくと、国家はそれを確保するためにあの手この手を尽くすようになる。

隣国の中国が水不足に悩まされている。このときに、外国企業に自国の水道事業（資産規模30兆円）という公共サービスを差し出すのか。ならばなんと無知な「今だけ、カネだけ、自分だけ」だろう。

我々の生存に不可欠な水や農作物の種子を、最も価値あるものとして、日本が知らしめるべきだ。

そうした思いから、地方の声を中央に届ける、福井県議会の意思として国会に慎重審議を求める意見書を提出することを本会議に提案、全会一致で可決した。

# 新緑の気ままにト～ク

日本語とヘブライ語

君が代は（クムガヨワ）
千代に（テヨニ）
八千代に（ヤ、チヨニ）
さざれ石の（サッサリード）
巌となりて（イワ、オト、ナリタア）
苔のむすまで（コ〈ル〉カノ、ムシュマッテ）

（ヘブライ語の意味）立ちあがれ　シオンの民　神に選ばれた者　喜べ、人類を救う民として　神の預言が成熟する　全地で語り、鳴り響け

かごめ、かごめ（カゴメ、カゴメ）
かごの中の鳥は（カヴェ、ノェ　ナカノ、トリ）
いついつ出やる（イツィ、イツィ、ディューウー）
夜開けの晩に（ヤーアカ、バンティ）
鶴と亀がすべった（ツル　カメ　スーベシタ）
後の正面だーれ（ウーシラッ、ジョーメン　ダラー）

（ヘブライ語の意味）誰が囲む（守る）のか頑固に閉ざされ、安置されているものを取り出せ　契約の箱に閉じ込められてこれまで安置されてきた神器を取り出せ　神器を取り除き、代わりにお守りを作った

さくら　さくら　やよいの空は

見わたす限り　かすみか雲か　匂いぞ出ずる
いざや　いざや　見にゆかん

（ヘブライ語の意味）（神が）隠れてしまった
唯一の神が、迫害を受け耐え忍び
死んで犠牲になってしまった
くじ引きで引き当てられ、取り上げられてしまった
素晴らしい神の計画　それは救いである
その救いの捧げものが成就した

「ヤーレンソーランソーラン　ソラン　ソーランソーラン　ハイハイ」

金沢の孫が、「ソーラン節」を踊る動画が届いた。保育園の夏祭りで踊るようだ。しかし、「ソーラン節」の本当の意味は、孫も娘も動画を見て喜ぶ婆さんも誰も知らない。

「ヤーレン・ソーラン…」という掛け声は、日本語としては何の意味もなさないが、ヘブライ語で読めばちゃんとした意味がある。

「ヤーレン」は「喜び歌う」、「ソーラン」は「一人で」、「チョイ・ヤサエ・エンヤン・サー」は「たとえ嵐が来ようとも、真っ直ぐに進め」、「ノ・ドッコイショ」は「神の助けによって、押し進んでいく」という意味となる。

つまりソーラン節は、古代ユダヤ人たちが荒波を乗り越えて約束の地に向かう際に歌った行進曲であった。

日本の古歌、国歌となった「君が代」をはじめ、童謡、民謡など日本語として意味不明な部分や日本語としては何の意味も持たない囃（はや）し言葉、掛け声の多くが、ヘブライ語で読むと秘められたオリジナルの意味が浮かび上がってくる。

「よいしょ」「どっこいしょ」は、ヘブライ語の「イェシュ」（神よ救けたまえ＝イエス・キリストの「イエス」と同じ語源）、「ドケイシュ」（退かすので、神よ助けたまえ）。

ワッショイ！は、（神が来た）。よっしゃーは、「ヨシュア」で、「神の救い」、ヤッホーは、「栄光の神！」。

日本の国技となっている相撲のときの掛け声「はっけよ〜い　のこったのこった！」は、ヘブライ語で「HaKeH・YoHY（はっけよ〜い）」は、「投げつけよ・やっつけよ」という意味になり、また（のこったのこった）は、ヘブライ語の「NKIT」で「勝つ・征服する」という意味になる。

ところで、三国神社建立の際に真言宗の上人が歌ったといわれる、わが町の三国節にもユダヤの影響があるという。

まず、三国は、神の国を意味する「御国」の当て字ではないかということ。真言宗の開祖は空海弘法大師（日本にイスラエルの信仰をもたらした仕掛け人）だということ（いろは歌に隠された「イエス」、「咎（とが）なくて死す」）。

歌詞に「主を待つまの」とあり、主はキリストとも理解できる。始まりの「岩がびょうぶ」は、ヘブライ語で「イワ」は神の呼び名であり、「ビョウブ」が「一緒」を意味するので「イワガビョウブ」とは「神と共にいませり」となる。つまり、三国節のテーマは「神がともにおられる」となる。

古代イスラエル消えた十氏族がシルクロードを通って、日本に渡ってきた。秦氏は日本のほとんどの神社を建設している。

伊勢神宮の石灯籠にユダヤの紋章「ダビデの星」が刻まれていたり、八坂神社の京都の祇園祭は「シオン」の祭り、太い秦と書いて太秦、神社の鳥居、神輿、相撲など古代イスラエルのものと思われるものが多く存在している。

サムライ＝シャムライ、社務所＝シャムショ、アリガトウ＝アリ・ガト（幸運です＝神への感謝の言葉）というように、まったくそっくりな言葉が500ぐらい、類似性のあるものがこの10倍ほどあるといわれる。

古事記や日本書紀に書かれていることと聖書に書かれている神話がよく似ていて、天照大神はイエス・キリストだという話もある。

日本は、文明発祥の地ではなく、東西南北から渡来人がやってきて、さまざまな文化が熟成されたものと思われる。

●Vol.91（2017年8月10日発行）

# 戦略物資としての食料は国家存続の柱

## 〈「日本の農業は過保護」のウソ〉

世界的には「食料は軍事・エネルギーと並ぶ国家存立の三本柱だ」といわれていますが、日本では、戦略物資としての食料の認識が薄いのが実情です。

「過保護に守られてきた日本農業を徹底した貿易自由化で競争にさらせば強くなる」というのは間違いで、日本に必要なのは欧米のような確固たる食料戦略です。

スイスで小学生ぐらいの女の子が1個80円もする国産の卵を買っていたので、なぜ輸入品よりはるかに高い卵を買うのかと聞いた人がいました。すると、その子は「これを買うことで、農家の皆さんの生活が支えられる。そのおかげで私たちの生活が成り立つのだから当たり前でしょ」と、いとも簡単に答えたといいます。その意識の高さには、日本は相当に水をあけられている感があります。スイスがここまでになるには、本物の価値を伝えるための関係者の並々ならぬ努力があったと思われますが、これこそ食料戦略。

スイス国民経済省農業局は、スイスの消費者は「スイスの農産物は決して高いわけではない。安全安心、環境に優しい農業は当たり前であって、我々は多少高いお金を払っても、こういう農産物を支えるのだ」と納得しているといいます。

本物を作るには最低これだけの価格が必要だという基準をつくっています。

スイスの農業所得の95%が政府からの直接支払いです。食料に安さだけを追求することは命を削ることです。

世界のGDPランキングTOP20に占める農業比率　（GDP：百万US$）

| | | 名目GDPランキング | GDPに占める農業比率 | 就業人口に占める農業従事者比率 |
|---|---|---|---|---|
| 1位 | 米国 | 18,569,100 | 0.9% | 1.6% |
| 2位 | 中国 | 11,218,281 | 9.2% | 36.7% |
| 3位 | 日本 | 4,938,644 | 1.2% | 3.7% |
| 4位 | ドイツ | 3,466,639 | 0.6% | 1.6% |
| 5位 | イギリス | 2,629,188 | 0.7% | 1.2% |
| 6位 | フランス | 2,463,222 | 1.7% | 2.9% |
| 7位 | インド | 2,256,397 | 17.1% | 51.1% |
| 8位 | イタリア | 1,850,735 | 2.3% | 3.8% |
| 9位 | ブラジル | 1,798,622 | 5.2% | 16.1% |
| 10位 | カナダ | 1,529,224 | 1.8% | 2.3% |
| 11位 | 韓国 | 1,411,246 | 2.3% | 6.6% |
| 12位 | ロシア | 1,280,731 | 4.7% | 10.2% |
| 13位 | オーストラリア | 1,258,978 | 2.5% | 4.5% |
| 14位 | スペイン | 1,232,597 | 2.6% | 4.3% |
| 15位 | メキシコ | 1,046,002 | 3.6% | 20.9% |
| 16位 | インドネシア | 932,448 | 14.0% | 38.3% |
| 17位 | トルコ | 857,429 | 8.6% | 23.7% |
| 18位 | オランダ | 771,163 | 1.8% | 2.8% |
| 19位 | スイス | 659,850 | 0.7% | 3.3% |
| 20位 | サウジアラビア | 639,617 | 2.3% | ― |

なぜ、わが国の食料自給率が39％にまで落ち込んでいるのかを考えると、日本の食料市場の閉鎖性を指摘する見解や、農業過保護論の誤りが浮き彫りとなります。

日本の食料自給率は先進国最低です。

もし関税が高ければ、輸入食料がこんなに溢れているはずはないし、関税が低くても農業保護が充実していれば、国内生産は増えるはずである。

しかし、そうなっていないということは、日本の食料品への関税も農業保護も、高いとはいえないことに他なりません。

## 世界の農業のほうが「過保護」の現実

今では諸外国の農業のほうが、日本よりよほど「過保護」であることを示すデータがあります。

まず、各国のGDPに占める農林水産業のシェアは日本で1・2％、欧米各国は、これと同じくらいか、1％を下回るほどの低さです。

にもかかわらず、農業生産額に占める農業予算額は、わが国が3割を切っているのに対して、欧米では、やや低いフランスでも4割強で、イギリスでは約8割、アメリカは約6割と、わが国よりもはるかに大きい。

農業所得に占める政府からの直接支払の割合（%）

| 国名 | 割合 |
|---|---|
| 日本 | 15.6 |
| アメリカ | 26.4 |
| 小麦 | 62.4 |
| トウモロコシ | 44.1 |
| 大豆 | 47.9 |
| コメ | 58.2 |
| フランス | 90.2 |
| イギリス | 95.2 |
| スイス | 94.5 |

ＴＰＰ参加問題で、「1・5％の一次産業のＧＤＰを守るために98・5％を犠牲にするのか」、つまり農業保護のために他の産業の競争力を高める機会をみすみす逃すのかという趣旨の発言をした議員もいたが、欧米各国のＧＤＰシェアはもっと少ないにもかかわらず、もっと大きな農業予算を確保している。

一次産業は、直接には生産額はそれほど大きくなくとも、食料が身近に確保できることは何ものにも勝る保険であり、地域の関連産業を生み出すベースになって、加工業、輸送業、観光業、商店街、そして地域コミュニティをつくり上げています。これを仮に金額換算したらＧＤＰに占めるシェアは非常に大きくなります。

「1・5％の一次産業のＧＤＰを守るために98・5％を犠牲にするのか」ではなく、それを言うならば、「1％の企業利益のために99％の国民を犠牲にするのか」がＴＰＰの真実です。

また、農業所得に占める政府からの直接支払い（財政負担）の割合を比較すると、日本は平均15・6％ほどしかないが、フランス、イギリス、スイスなどの欧州諸国では90％以上に達しています。

アメリカの穀物農家でも、平均的には50％前後で、日本とは大きな開きがあります。

## 日本には価格支持政策がない

米国やＥＵの直接支払いは日本と異なり、農業の所得を維持する方針がはるかに明確です。

いずれも農産物価格を引き下げる一方、農家の収入を直接支払いで補塡してきました。しかも、価格支持制度を維持しています。

米国は１９６３年から、輸出競争力を強化するために支持価格を引き下げ、直接支払いで補塡しました。74年には所定の目標価格と、各年における農家販売価格の差額を補塡する不足払い制度へ移行し、基本的な枠組みは今も維持されています。

日本では、コメや酪農の政府支持価格を世界に先んじて廃止してきました。

コメに関する関税と直接支払いの関係

| 関税 | 直接支払額 |
|---|---|
| % | 億円 |
| 0 | 16,500 |
| 100 | 12,000 |
| 150 | 9,750 |
| 200 | 7,500 |
| 250 | 5,250 |
| 300 | 3,000 |

注：国内基準価格＝14,000円/60kg
輸入価格＝3,000円/60kg

わが国の国内保護額（6400億円）は、今や絶対額で見てもEU（4兆円）やアメリカ（1・8兆円）よりはるかに小さく、農業生産額に占める割合で見てもアメリカ（7%）と同水準です。

しかも、アメリカはWTOルールを都合よく解釈し、農業保護度を低く見せるよう画策したりしています。

日本のコメに匹敵する酪農はアメリカの保護額の7割を占めているものの、実際にはその4割しかWTOに申告しておらず、実はもっと多額の保護を温存していることが報告されています。

## 関税＝国境における価格支持

食料自給率が39%であるということ、つまり、我々の体のエネルギーの61%もが海外の食料に依存しているということがわが国の農産物市場が閉鎖的だという指摘が間違いである何よりの証拠です。

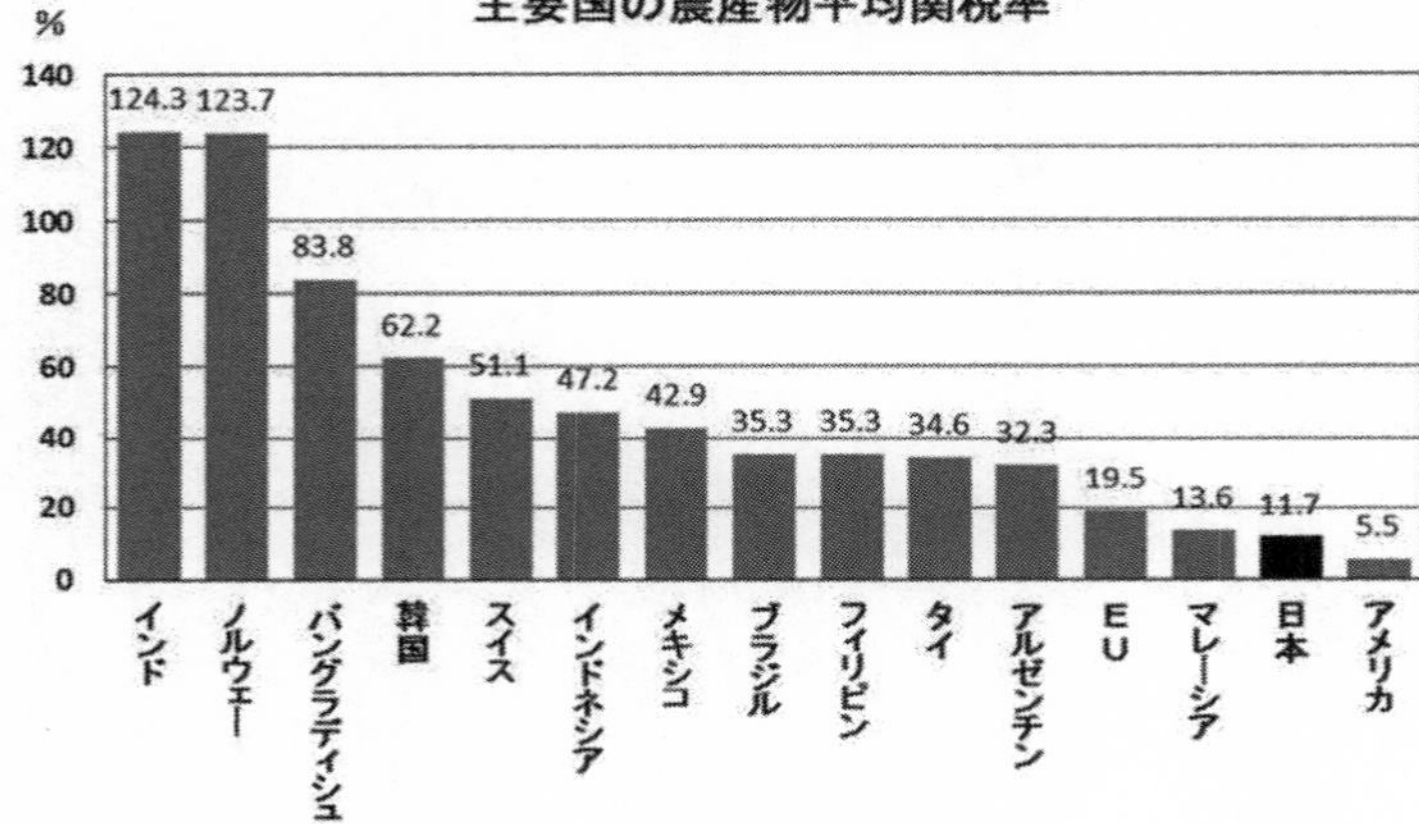


わが国の農産物の平均関税は11・7％で、ほとんどの主要輸出国よりも低い。野菜の関税3％に象徴されるように、約9割の品目は、低関税で世界との産地間競争の中にあります。

そんな中で、コメや乳製品といった1割程度の残された高関税品目までをもゼロ関税にしたら日本の農業は成り立たなくなります。

コメの関税が0になったら、1俵（60kg）3000円のコメが輸入されます。日本でコメ1俵栽培するには1万4000円必要といわれています。

関税は、土地条件で不利なわが国が外国と同じ土俵で競争することが困難であるため必要としているものです。

## 欧米諸国の強さは、手厚い政府支援

つまり、アメリカなどは農業の国際競争力があるから輸出国になり、100％を超える自給率が達成されていると説明されていますが、これは間違いで、欧米諸国の自給率・輸出力の高さは、競争力のおかげではなく、食料を戦略物資として手厚い戦略的支援をしている証といえるのです。

換言すれば、わが国の自給率の低さは、過保護のせいではなく、保護水準の低さの証といえます。

## 遺伝子組み換え作物戦争

「小麦は我々が直接食べるので、遺伝子組み換え（GM）はしない。大豆やトウモロコシは家畜のエサだから構わないのだ」とアメリカの穀物協会幹部が発言しました。

豆腐や味噌などの大豆加工食品で大量の大豆を消費している日本人には見過ごせない発言です。

今では日本人の一人あたりの遺伝子組み換え作物（GM）食品消費量は世界一といわれています。

GM作物の種子のシェア90％を握るモンサント社の日本法人、日本モンサントによれば、日本は毎年、穀物（トウモロコシや小麦）、油糧作物（大豆・ナタネなど）を合計で約3100万トン海外から輸入していますが、そのうちGM作物は合計で1700万トンと推定され、日本国内の大豆使用量の75％（271万トン）、トウモロコシ使用量の80％（1293万トン）、ナタネ使用量の77％（170万トン）がGM作物と考えられます。

年間1700万トンとは、実に日本国内のコメ生産量の約2倍に相当する数量です。

## 身近に農があることは、どんな保険にも勝る安心

食料の自由貿易化が推し進められる中で、とりわけ心配されるのが「食の安全」です。

グローバル化の流れの中で、「食の戦争」に巻き込まれずに、子どもたちの命と健康を守るには、本物を提供する生産者とその価値を評価できる消費者との絆が不可欠です。日本人もいつのまにか〝安さ第一〟の消費者になってしまい、国産の食料を支えることが難しくなっているのが現状ですが、「身近に農があることは、どんな保険にも勝る安心」であることを、子どものときに徹底して認識してもらう必要があります。

日本には、地域各地に農林水産業があるために、地域の食、日本の食が守られ、地域の関連産業や地域コミュニティが成立しています。一次産業が国土・領土を守っている。それを失えば伝統も文化もコミュニティもない荒野のようなものです。

そのことを消費者は認識し、生産サイドにも、自分たちの生産物の価値を、農がここにある価値を、最先端で努力している自分たちが伝えなくて誰が伝えるのか、という気持ちが求められています。

国の自給率を高めるには、地給率（地域自給率）を高めていかねばなりません。

まずは、地域で産出した農林水産物を地域で消費する「地産地消」の体制をしっかり整えることが重要です。

● Vol.90（2017年4月5日発行）

## 孫への手紙　〜自然治癒力〜

日本では、「風邪を引いて、熱を出したら医者に行って治す」ということが当たり前のようになっていますが、欧米では、「風邪」は健康保険の対象外で、風邪は医者に行かずに自分の力（免疫力）で治すのが当たり前となっています。

「風邪を引く」というのは、キャッチ・ア・コールドといって、「体が冷えをつかまえる」と表現するように、体を暖かくして、家で寝ていて治すものとなっています。

風邪を引いたら「栄養を取れ」ともいわれますが、本当は、消化に余計なエネルギーを使わず、「水分を取って、暖かくして寝る」のが一番だということです。

熱を出したり、鼻水を出したり、咳を出したりするのは、自分の免疫力を上げて「ばい菌」と闘っているからであり、その自分の免疫力（自然治癒力）を解熱剤や咳止めで、無理やり抑えて、良いはずはありません。

インフルエンザも風邪の一種ですから同様です。

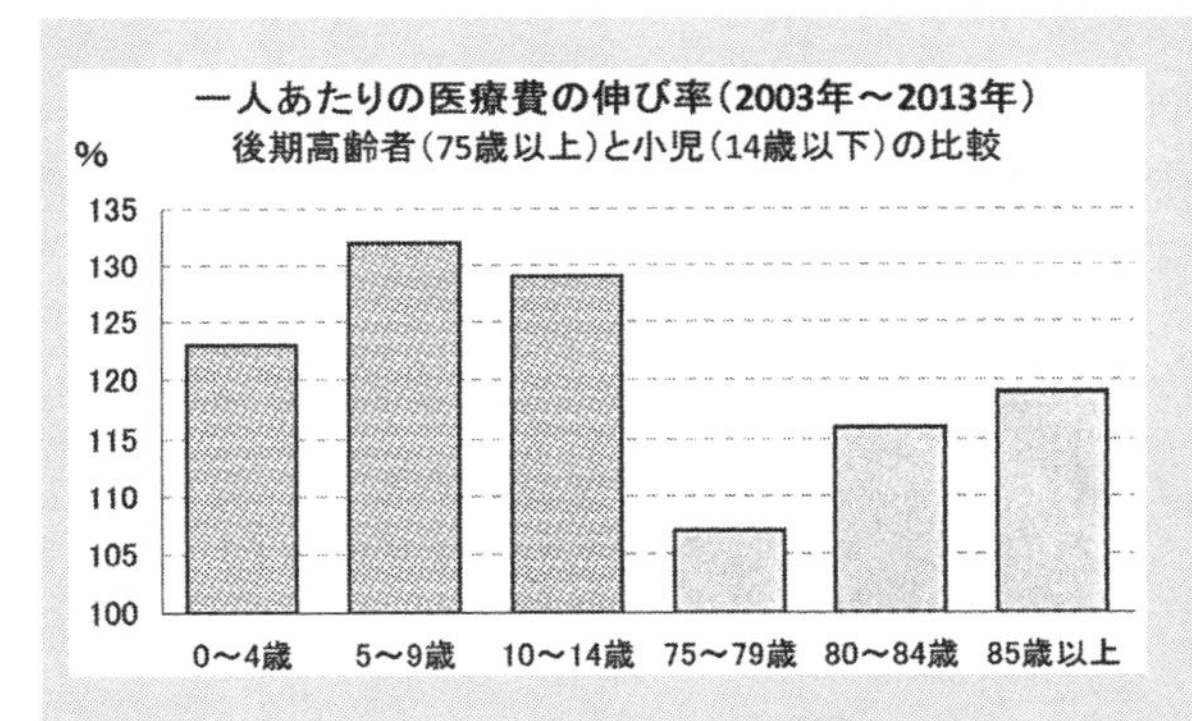


一人あたりの医療費の伸び率（2003年～2013年）
後期高齢者（75歳以上）と小児（14歳以下）の比較

| 年　齢 | 伸び率（2003年=100） |
|---|---|
| 0～4 | 123% |
| 5～9 | 132% |
| 10～14 | 129% |
| 75～79 | 107% |
| 80～84 | 116% |
| 85以上 | 119% |

## 小児医療費無料化と医療費伸び率

平成27年度、国の医療費総額は41兆4000億円（伸び率3・7%、平成27年度税収56億円）、うち福井県は2570億円（全国26位、伸び率3・2％）となっており、年々増えています。

前ページのグラフは年齢層別の医療費伸び率を見たものですが、14歳未満の伸び率が75歳以上の伸び率より高いことがわかります。

この原因は、首長選挙のたびに小児医療費の助成対象年齢が引き上げられた（小学校入学前までだったものが中学生卒業まで）ことにあります。

小児医療費が無償になっている自治体で、コンビニ受診といわれる不必要な受診が増えているとの指摘があります。

風邪が、薬への依存を高める入り口であることは間違いありません。

「薬を手放せなくなる」→「耐性ができて効かなくなり、量が増える」→「効かないので薬の種類が増えていく」→「副作用が現れ、それに対処する薬が加わる」→「身体を壊す」という過程で進んでいきます。

最近は、きれいなピルケースに市販薬を入れて持ち歩く若い女性が増えていて、薬がファッションの一部にもなってきているようです。こうした薬の飲み方を「カジュアル飲み」というそうです。カジュアル飲みは、副作用への認識の低さの表れです。それは、幼い頃からの経験によって築かれたものなのでしょう。

薬をすぐに飲ませる親に育てられた子は、大人になって薬好き、病院好きになる傾向があります。

病気には、「自分の身体に備わった自然治癒力で治すべき領域」と、「医療の力を借りて治すべき領域」があります。

風邪は自然治癒力で治すべき病気です。そのことを子どものうちから風邪を通して経験することは、生涯を通して健康な身体を築くうえでとても大事です。

「風邪は寝ていれば治る」と、自らの自然治癒力を体感して育った人は、医療や薬に頼らない意識を持っています。

# 新緑の気ままにト〜ク

心に太陽を持て　　ツェーザル・フライシュレン／山本有三訳

心に太陽を持て。
あらしが　ふこうと、
ふぶきが　こようと、
天には黒くも、
地には争いが絶えなかろうと、
いつも、心に太陽を持て。

くちびるに歌を持て、
軽く、ほがらかに。
自分のつとめ、
自分のくらしに、
よしや苦労が絶えなかろうと、
いつも、くちびるに歌を持て。

苦しんでいる人、
なやんでいる人には、
こう、はげましてやろう。
「勇気を失うな。
くちびるに歌を持て。
心に太陽を持て。」

『心に太陽を持て』は、山本有三が、「とっておきの良い話」として、まとめた短編集である。

その中に収めてある、長野県飯田市の中学生がりんごの木を植えたお話（現在のアップルロード）は、何回読んでも感動で涙が出てしまう。

「今日という日は、一年に一回しかない。今年の今日は一生のうち一回しかない」

映画評論家の淀川長治は、目覚めた床の中で、まずその日の日付を言ってから、毎朝そんなふうに自分に言い聞かせたという。

一日一日を大切にして物事に接する。どんなにつまらない映画でも、光るものを見つけて褒める優しい目を培い、その心が審美眼につながったといわれる。

「お前は映画ばっかり観て、ちっとも勉強せんな。算数もっと勉強しろ」、中学生になるとますます映画館に行くことが多くなった淀川長治少年を数学の先生が叱（しか）った。

淀川少年は「はい」と答える代わりに、「それは無理。先生こそ今やっている『ステラ・ダラス』をご覧なさいよ」と言い返した。

勧められたその若い先生は、同僚二人を誘ってすぐ観に行って、次の日、「いい映画だったよ」と淀川少年に伝えたという。

この先生たちも偉い。

女優、岸田今日子は不登校児だったようで、不登校のまま夏休みになり2学期を迎えた朝、「みんなも夏休みで、お休みしていたから大丈夫」と母親に励まされ、いやいやながら学校に行った。

しかし、宿題をしておらず、そのまま先生に提出すると、「楽しいことがたくさんありすぎて、宿題をする暇がなかったのかな」、先生は笑いながら、白紙の絵日記に大きな◯を書いてくれたという。

感激した今日子さんは、先生と学校が好きになり、それ以来、不登校をやめた。

この話には、後日談がある。

女優になった今日子さんが先生と再会したとき、「先生の◯のおかげで、私は卒業できたのです」とお礼を言うと、先生はキョトンとして「あれは○じゃないよ。零点という意味……」

二人は大笑いしたという。

渥美清は、17歳の誕生日に東京大空襲で、自宅から焼け出され、生きるために担ぎ屋テキ屋もやった。

ある日、車道と歩道を仕切ってあった鉄の鎖を盗んで補導され、一人のおまわりさんから言われた一言が芸能界に入るきっかけとなった。

「お前の顔は、一度見たら忘れない。『フランス座』に行け」

フランス座というのは、戦前から浅草にあったストリップ劇場。

「むきあって、同じお茶する　ポリと不良」

俳号は「風天」、句会に誘ったのは永六輔。

「今の歌手は、歌屋(うたや)に過ぎない人が多い。歌手ではなくカス」

捕虜の欧米人の慰問に出かけ英語で歌い、軍部ににらまれ、さらに派手な化粧や衣装を自粛しろと注意を受けると、「プロの歌手にとって、舞台衣装は戦闘服です」とはねつけた。

淡屋のり子は阿波屋という津軽の呉服屋の娘。

ステージで泣いたのは一度。鹿児島県知覧で、歌っている最中、特攻隊の学生が立ち上がり、一人一人深く頭を下げて会場を去って行ったとき。

『永六輔の伝言』にはたくさんの芸能人とのエピソードが書かれてある。

「馴れ合いと仲良しごっこ」のような今の時代、人間としての味というか凄みというか、値打ちが違う時代を垣間見る。

「型に入り、型を破る」

「型に入る」とは、別の表現をすれば、二等辺三角形の「底辺」を広げる努力である。つまり、ただ単に「高さを出すこと」のみを考えると、底辺の狭い、とんがった三角形となって、まことに安定性に欠ける。

底辺の広い三角形は、かなりの高さになっても、安定性がある。その基礎や土台をしっかりとしたものにするには、どうしても先人たちの「型」に学び、先人の「型」に入る必要がある。

　達人の良さをしっかり身につけながら、今度はそれを超えていく努力をすることが「創造」につながる。

「創造」すること、あるいは「自分の型を持つ」ということにおいて必要なことは「思想や価値観や志を常に探し求め、持ち続けようと努力すること、このことが、実は「型に入り、型を破る」うえで最も大切なことだ。

日本画の平山郁夫が書いた『生かされて、生きる』という本に書かれてある。

　春休み、持っている人たちに読んで欲しい本だが、発行が春休みに間に合いそうにないことがふがいない。

「今日という日は、わが一生で今日しかない」、還暦も過ぎ、私も一日一日を大切に生きようと淀川長治をまねてみたものの三日坊主、せめて、母親がやっていたように自分の父母の月命日は精進しようと思ってはみたのだが、今日は何日？　一月去ぬる、二月逃げる、三月去る。

花の色はうつりにけりないたづらに我が身世にふるながめせしまに（小野小町）

● Vol.88（2016年8月12日発行）

# 教科書が教えない社会の仕組み

## 〈世界を支配する国際金融資本と通貨発行権〉

「日本の保守現政権は、恐らく、アメリカの要求を、いやいやながら、次々と呑まざるをえないであろうし、徐々にではあっても、アメリカが仕組んだ、〝自己弱体化への道〟を走ることになるであろう。

日本人の見る道路標識には、日本人好みの行き先が書かれることになるだろうが、裏側を見れば、英語で違う行先が印刷されているはずである。

親愛なる日本の読者諸兄に申し上げたいのは、自分が運転している道路わきの道路標識を見る場合、その標識は、いつ誰が、なぜそこに立てたのかを、ちょっと立ち止まって、考えて頂きたいということである。

運転手はあなたなのだから、その道を走った責任は、あなたにある。アメリカ人が無理にその道を走らせたのだ！　という言い訳は、もう、役に立たない」

（アブラハム・ラーウィ『日本人への謀略　あるユダヤ人の証言』かんき出版）


「第二次世界大戦で完膚なきまでに敗北し、無条件降伏した日本は、1952年のサンフランシスコ講和条約で国家として再び独立したことになっている。しかしその後から現在まで、アメリカの従属的立場にあることに変わりはない。

日本にはいまだに130ヶ所以上の米軍基地が全国津々浦々にある。世界中の国に基地を持っているアメリカだが、首都に米軍基地があるのは世界中でわが日本だけである。

オバマ大統領の外交問題顧問を務めたこともあるアメリカの学者プレジンスキーは「日本はアメリカの保護国である」と指摘している。保護国とは属国のことだが、世界はそう見ているのである。

事実、日本はアメリカの従属下にあるので、日本の意思決定は日本人自身ではできない。主権は国民にあるというのが日本国憲法の規定だが、属国である以上、本当の意味での主権はアメリカにある。上司のアメリカと日本の国民の意見がぶつかれば、どちらの意見を採用するのか？

上司の意見であることは明らかだろう。自民党から民主党に政権が移ってもまったく政策に変化がないのは上司が替わっていないためである。

そのために、アメリカ様の望む外資規制の緩和と構造改革、関税自主権を失う狂気のＴＰＰなどを、国民の利益など度外視して忠実に実行しようとしている。ＩＭＦのような国際金融機関の要望による消費税増税も同じ構図である。

しかし日本は建前上は独立国であり、民主主義国でもあるので民意を誘導しなくてはいけない。

そのためにフル活用されるのが、戦後、アメリカが大切に育ててきたテレビや新聞などのマスコミであり、学術機関である。

従順な政権は長期政権になり、逆に上司と対立し変化を起こそうとする勢力は、子飼いのマスコミを使って徹底的に叩かれる。

こうして、世論を誘導しながら行う「操作される民主主義」による日本統治はいまだに順風満帆である。

## 操作された民主主義

私たちが、これまで学校教育や、新聞、テレビなどのメディア、学者、専門家などによって、教えられ、伝えられ、信じ込まされてきたものは、国民の選挙によって選ばれた国会議員が内閣を形成し、政府という公的な行政機関を持った国家が国際社会の主役であり、世界史を動かしてきたというものです。

各国政府が、さまざまな国内勢力に動かされていることを、もう一歩踏み込んで考えれば、世界の実態は国家単位で、国益のために、世界情勢が動いているのではないというコペルニクス的な思想転換をしないと、世界で何が起こっているか、世界はどこへ行こうとしているかがまったくわからなくなります。

「日本」、「アメリカ」「中国」というように、国家単位で世界を考えれば、戦争は国と国がいがみ合って起きるとか、バブルが起こったり、デフレ不況になったりする原因が自然発生的な問題としてしか考えられなくなります。

私たちは、通常、自分の生活、地域、国、世界という順番に足元から世界を見ていますが、この世に、世界支配者がいて、各国をサッカーチームのように扱い、操っているという視点を持つと各々の問題が単なる国内問題ではなく、偶然起きたものではなく、あるいは単発の問題ではなく、すべてつながり、歴史がつながってきます。

## 世界支配者＝国際金融資本家の存在

「世界は舞台裏をのぞいたことのない人間にはまったく想像もできない人物によって支配されている」（ベンジャミン・ディズリー）

「政治の世界では、何事も偶然に起こるということはない。もし何かが起こったならば、それは前もってそうなるように謀られていたのだ」（フランクリン・D・ルーズベルト）

ひとことでいえば、私たちが住む地球には、世界の政治経済を制覇するために、金融資本家たちの国際的ネットワークが存在します。

「ロックフェラーたちが世論を支配している！」

かつてマスコミの変節に気がついた第26代セオドア・ルーズベルト大統領（在職1901～1909年）が職をしりぞいてから、語った重要な言葉が『ニューヨーク・タイムズ』に次のように掲載されました。

「これらの国際的銀行家たちとロックフェラーの石油会社の一味が、力ずくで世論を動かし、陰の政府を作って力をふるっている。アメリカの多くの新聞社や記事の内容は、彼らの命令に従わない政治家を追い出すために利用されているのだ」

次は、この記事を読んだ当時のニューヨーク市長ジョン・ハイラン氏の寄稿です。

「セオドア・ルーズベルト氏の警告は、今日のアメリカだけでなく時代を超えたものである。我々の今日の社会における本当の脅威は、あたかも巨大な蛸(たこ)がぬるぬるした長い脚を市、州、そして国までもおおいつくしているような、陰の政府である。それは我々の政府高官、立法議会、学校、裁判所、新聞社、そして一般市民を保護するために存在するあらゆる政府機関を飲み込んでしまっています」

「漠然とした一般論を抜きにしてはっきり言えば、この蛸の頭はロックフェラーのスタンダード石油の一味と、一般的に国際的銀行家と称する少数のパワーある銀行家たちのことである。

この少数のパワーのある国際的銀行家たちは、彼らの利己的な目的のために、この合衆国政府を事実上運営しているのです」

「彼らは2大政党を支配し、政党の綱領を書き上げ、手先になる政党の指導者を養成し、私的な団体の指導者を使い、あらゆる方法を使って、腐敗した大きな企業の命令に従順な候補者だけが、政府の高官に指名されるように働きかけるのです」

（1922年3月26日）

こんな記事を掲載できた『ニューヨーク・タイムズ』は、このときはまだ、今日のようには完全にロックフェラーの支配下に置かれてなかったのでしょう。

この国際金融資本たちが、世界の金融を支配し、政治、軍事、マスコミをはじめ、ありとあらゆる産業（企業）を手に入れ、世界統一政府を樹立しようとしています。

世界統一政府などといえば、世界平和のようなイメージを持ちますが、支配者たちの独裁政府の下に、人々を家畜のように隷属させるものです。

その長期計画、「新世界秩序」（ニュー・ワールド・オーダー）の完成に向けて、マスコミの協力によって、あと一歩のところまで近づいているというのが、次の言葉からもうかがえます。

「『ワシントン・ポスト』、『ニューヨーク・タイムズ』、『タイム』誌をはじめ、その他大手出版社の重役の方々が我々の会議に参加し、40年もの長きにわたり、その内容を思慮深く秘密にしてくれたことに感謝したい。

もし、この間に我々の計画が世間の注目にさらされていたら、我々の世界計画を発展させることは不可能だっただろう。

しかし今日、世界はより洗練されて世界政府へ向かう準備が整った。知的エリートと国際銀行家による世界支配は、これまでの国家による支配体制より望ましいものである」

（ロックフェラー財閥の当主デービッド・ロックフェラー氏、1991年・三極委員会での演説より）

# 〈すべてはおカネの流れから見ると見えてくる〉

## おカネの仕組み

①通貨発行権は誰のものか

おカネを発行する権利を「通貨発行権」といいます。

通貨発行権を持っていたら、いくらでもおカネを作ることができるのですから何でも手に入ります。当然、銀行でおカネを借りる必要はありません。一般的に、通貨を発行するのは国だと思われています。しかし、それなら、なぜ国（日本政府）の借金が１０００兆円もあるのでしょうか？

②通貨発行権のない民主政治

中央銀行が独立した民主政治では選挙で選ばれた政府は通貨発行権を持っていません。

政府の最大の役割は予算の編成であり、社会のどの部分にどれだけの資金を割り当てるのかを決めることですが、通貨の発行権がなければ、税収以上に予算が必要になった場合、増税するか、国債等を発行して借金するしか手段がありません。

大抵の場合、増税は忌み嫌われるので、お手軽で手っ取り早い方法として国債の発行が用いられる。しかし、それだけでは有効な経済政策たりえません。なぜなら、税金による再分配や国債の発行による「財政政策」だけでは、通貨を増加させることはできないからです。

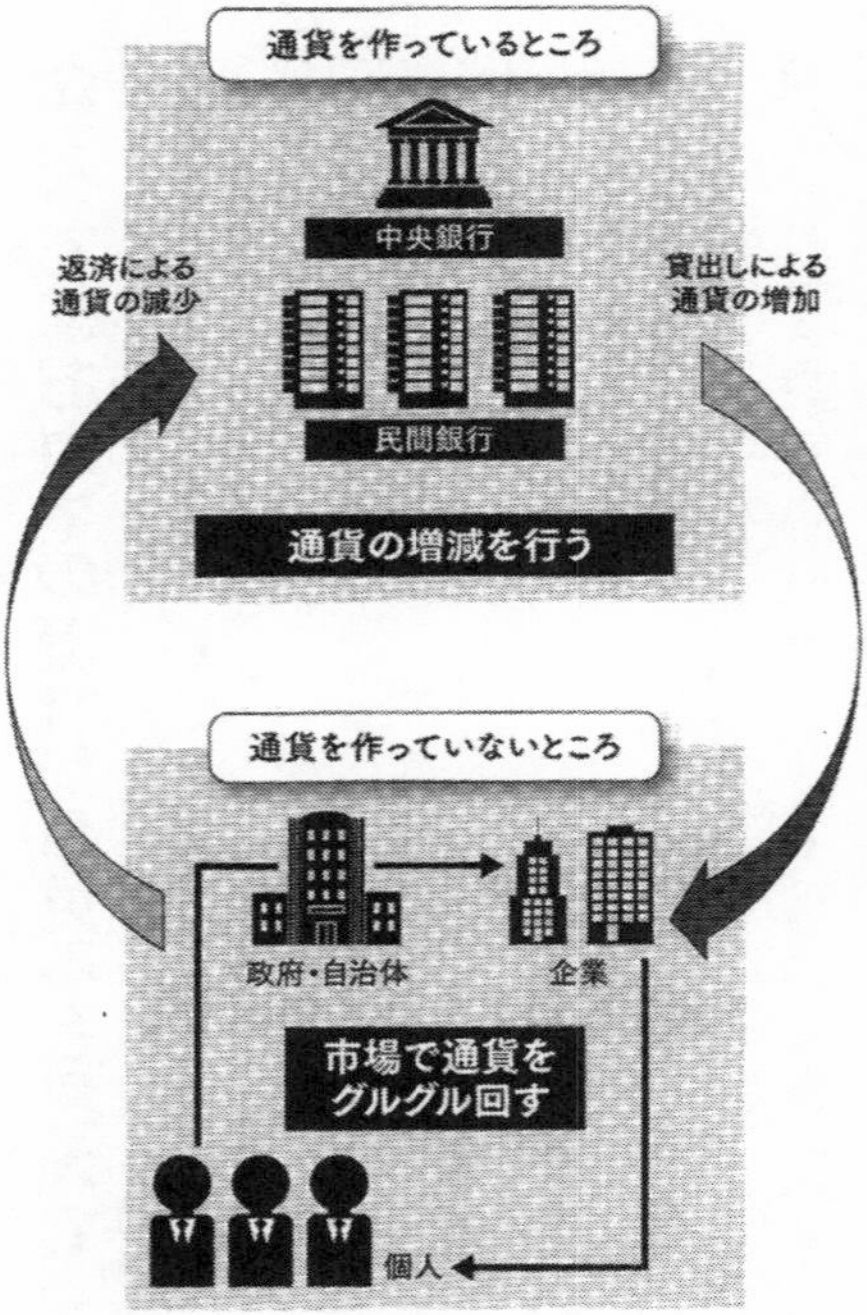

そのときの資金の調達先は、自らがカネという通貨を管理し、紙幣という通貨

通貨を作っているところ
中央銀行
民間銀行
通貨の増減を行う
返済による通貨の減少
貸出しによる通貨の増加
通貨を作っていないところ
政府・自治体
企業
市場で通貨をグルグル回す
個人

も作れる最大のカネ持ちである銀行家です。

借り手は貸し手の僕（しもべ）となっていく。国家が銀行家の僕となっていった。これが現在の国家債務の原型です。

## 「民間が所有する中央銀行」の成り立ち

通貨の独占発行や金利をつけて政府に貸し出すなど、近代的な機能を備えた世界最初の中央銀行は、１６９４年、戦費をまかなうために設立されたイギリスのイングランド銀行です。イングランド銀行創設には戦争が深く関わっていました。

当時、イギリスとフランスは戦争を行っており、戦争は相手を倒すため極限まで財政を逼迫（ひっぱく）させます。

なんとしても戦争に勝たねばならない国王は、戦費を銀行家から借り入れるため、貸付条件とされた、「国の銀行となって通貨を発行する権利」を与えたことから、「イングランド銀行」が誕生しました。

イングランド銀行という呼び名からして、イギリス政府によって管理されているという印象を受けますが、実態は大勢のカネ持ちの民間人が出資して設立された株式会社でした。

その後、大富豪になっていたネイサン・ロスチャイルドは、イングランド銀行の保有するカネを大量に調達する役目を預かるとともに、大株主になって、イングランド銀行を支配下に置くようになったのです。

つまり、イギリスの通貨発行権を握ったのです。

そこで、ネイサンは次のような言葉を残しています。

「王座に座って大英帝国を支配する傀儡(かいらい)など、誰でもよい。大英帝国の通貨供給を握る者がこの国を支配するのだ。それはこの私である」

## 戦争が銀行家に大きな力を与える

イングランド銀行の創設の件でわかるように、戦争は多くの利益を銀行家に与えます。

敵対相手に勝たなければならない戦争では、財政が極限まで肥大化し、戦争ほどカネのかかるものはありません。そのときに国家の通貨に対する需要は最も大きくなります。銀行家はその状況を利用し、国家と有利な条件で交渉し、通貨を貸し付けるのです。

銀行家にとって戦争は長引いてもらったほうがいい。長引けば長引くほど国家財政は逼迫するからだ。そのため戦争を起こすように誘導し、長引かせるために銀行家は戦争の当事者双方に資金を貸し付ける。

通貨を発行していない国は借金まみれになり、銀行家は莫大な収入を得ることができるというわけです。

多くの戦争の背後には銀行家の存在が見え隠れしています。

フランス革命とナポレオン戦争により全欧州が大規模な戦火に叩き込まれた結果、欧州各国は巨額の国家債務を抱えることになりました。

通貨発行権を持たない国家が財政赤字を抱えることは、国債を購入している勢力の権力を高めます。

戦争は国家が債務漬けになるとともに、武器、さまざまな部品、食料、輸送手段など軍事産業の総合パッケージが提供されることになり、莫大な利益を生み出します。

資本主義と結びつき、巨大な生産力を裏打ちした「軍産複合体」が登場しました。その資金は国家の債務でまかなわれ、主な債権者となる国際銀行家たちへの支払いは国民の税金によってなされます。

## 19世紀のイギリスは金融権力そのもの

19世紀、イギリスは大英帝国となり、世界中に植民地を建設しました。しかしその大英帝国のコントロール権を握っていたのは銀行家たちです。

ナポレオン戦争やクリミア戦争、さらにその後の植民地獲得戦争などを通じて大英帝国は借金漬けになっていきました。

特にロスチャイルド家の影響は大きく、1865年から1914年の間にイギリス政府が発行した総額40億ポンドの国債のうち、ロスチャイルド家はその4分の1を引き受けています。

当然ながら大英帝国の政策には、国家の債権者としての銀行家たちの意向が反映されます。

イギリスの対外戦争は、国際銀行家とその下に従属するさまざまな産業集団の利益の代弁者として行われています。エジプトやインドや中国との戦争もその結果生じたものです。

また、欧州大陸に対しても、強大な政治権力の登場を阻止するための政策を行っていきます。実際、強力な君主の下に統治されたロシア帝国は銀行家たちの政治的影響力がほとんど及びませんでした。

19世紀のイギリスが勢力均衡を国家戦略とした背景には、国家の債権者としての銀行家たちの意向があったのです。

## 革命運動も権益を広げるための有効な事業活動

戦争とともに革命も国際銀行家に大きな利益と権力をもたらします。

16世紀以降に始まった旧来の王侯貴族の権力を倒す革命運動は、富を独占する国際銀行家にとってライバルを叩き潰す絶好の機会となりました。

革命の結果もたらされる財産権の保護や、商業の自由、身分制の廃止、政治・金融分離の民主主義は、通貨発行権を独占する銀行家にとっては、権力をさらに拡大するのに好都合な環境をもたらします。国際銀行家は、革命勢力を支援することで自らの通貨発行権から目を逸らさせる革命理論をつくり出していきます。革命家の側も多大な支援をしてくれるスポンサーの悪口を言うわけにはいかなくなります。通貨発行権に触れない革命理論の指導下で行われる革命は、ライバルを潰すことはあれ、銀行家にとっての既得権益は守られます。

民主主義と人権を利用したライバルの転覆は国際銀行家にとって十八番（おはこ）の戦略となり、現在まで多用されています。

もちろん、どの時代においても現場の革命に参加している市民は命懸けであり、多くが純粋な理想主義者です。

銀行家が支援する活動は、当時の封建主義的な支配システムを打倒するための魅力的な理論であり、多くの市民がそれに加わりました。

銀行家にとって革命は事業であり、市民にとっては理想でありました。

民主的な理想主義と、権力獲得を目論む銀行家の連合は、現代まで続く現象です。

■世界に広がるロスチャイルド財閥　産業別系列企業

【銀行・保険関連】

ゴールドマン・サックス（世界最大級の投資銀行）。ロスチャイルド&サンズ（イギリスの大手投資銀行）。

FRB（アメリカの中央銀行）。イングランド銀行（イギリス国立の中央銀行）。フランス銀行（フランス王立の中央銀行）。HSBC・香港上海銀行（香港ドル発券銀行）。クレディ・スイス（富裕層向けプライベートバンク）。ラザール・フレール（フランスの大手投資銀行）。

BNPパリバ（フランスの大手銀行グループ）。カナダ・ロイヤル銀行（カナダ五大銀行の一つ）。

アラブ投資銀行。ソシエテ・ジェネラル（フランスの大手金融機関）。グループ・ブリュッセル・ランバート（ベルギーの大手投資会社）。ロイヤル・サンアライアンス保険（イギリス最大手の保険会社）。アクサ（フランスの大手保険グループ）。ロイズ保険。日興コーディアル証券。その他、三井住友系の金融関連企業など。

【エネルギー関連】

リオ・ティント（多国籍鉱業資源グループ、金とウランをほぼ独占）。BP（国際石油系巨大企業複合体）。ロイヤル・ダッチ・シェル（世界第2位の石油企業）。GDFスエズ（電力・ガス供給で世界第2位）。

【マスコミ関連】

ABCとCBS（アメリカ三大テレビネットワークの2社）。『ニューヨーク・タイムズ』。『ワシントン・ポスト』。ロイター通信（世界最大の通信社）。

【軍需関連】

ロッキード・マーティン（軍需産業で売上世界一。ＢＡＥシステム（世界最大の国防産業）。デュポン（世界第3位の化学会社・火薬販売で成長、原爆製造に参加）。


【食品】

コカ・コーラ（大手飲料水メーカー）。ネスレ（売上世界最大の食品メーカー）。ユニリーバ（食品・洗剤・ヘアケア製品）。ブルックボンド（紅茶）。ムートン・ロートシルトとラフィット・ロートシルト（世界最高格付け五大ワインシャトーのうち二つ）。


【その他】

フィリップ・モリス（米最大のタバコメーカー）。デビアス（鉱物会社・ダイヤモンドを独占）。サノフィ（欧州最大手の多国籍製薬企業・大手ワクチンメーカー）。

■アメリカ最大のロックフェラー財閥　産業別系列企業・組織

【銀行・保険関連】

JPモルガン・チェース（時価総額アメリカ第2位）。シティグループ（世界最大のネットワークを持つ全米で有数の銀行）。

AIG（世界最大級の保険グループ、メットライフ、アメリカンホーム、AIGスター生命保険、GEエジソン生命保険など）。三菱系列の金融関連企業など。

【エネルギー関連】

エクソン・モービル（多国籍石油ガス企業ESSO・世界最大の株式上場会社）。

GE（売上世界第2位の多国籍企業）

【マスコミ関連】

AP通信（一般ニュース配信世界一）。NBC（アメリカ三大テレビネットワークの一つ）。『ウォール・ストリート・ジャーナル』。

【軍需関連】
ボーイング（軍需産業で世界第2位）。レイセオン（世界有数の軍需産業）。三菱系軍事関連企業。

【食品】
モンサント（多国籍バイオ化学企業、遺伝子組み換え作物の種子の世界シェア90%）。ペプシ（ペプシ・コーラなど清涼飲料メーカー）。

【その他】
ロックフェラー財団（世界規模で福祉・教育活動を展開）。ロックフェラー大学（医学研究を支援）。ＩＢＭ（世界最大級のＩＴ企業）。

以上がすべてではないが、ロックフェラー財閥もロスチャイルド財閥同様、実に幅広い産業に関わっていることがわかります。

また、日本の四大財閥である三井、三菱、住友、安田などの財閥もロスチャイルド財閥やロックフェラー財閥の支援を受け、明治時代に大きく成長しました。

## 〈マスコミの歴史と仕組み〉

### 「ニュースの卸問屋」

おカネと同じくらい我々の生活に密着しているものにマスコミがあります。普段の生活の中で見聞きするテレビや新聞です。

我々は無意識のうちに、マスコミが流す情報によって日々の考えや行動、価値観、常識、あるいは生き方そのものまでも大きく左右されているのではないでしょうか。

おカネとマスコミの関係は非常に深く、マスコミの歴史と仕組みを知ることは、おカネについて知ることと同じくらい重要です。

マスコミといえば、多くの人は、まず大手新聞社やテレビ局を想像しますが、多くは「ニュースの卸問屋」である通信社から情報を受け取り、テレビのニュース番組や新聞という形で届けられる仕組みになっています。

現在でも、ウェブサイトを除き、通信社が一般市民に直接ニュースを送り届けることはありません。

私たちにとっては、（共同）（ロイター）（ＡＰ）などとニュースの記事の片隅に小さく見かけるだけの存在にすぎませんが、その通信社がマスコミの根幹を握っています。

通信社における近代の歴史を振り返ってみると、19世紀の三大通信社は、フランス（アヴァス通信社）、ドイツ（ヴォルフ電報局）、イギリス（ロイター通信）の通信社で、20世紀には、アメリカ（ＡＰ通信）、イギリス（ロイター通信）、フランス（ＡＦＰ）の通信社が情報を支配しました。

これらの通信社の勢力は、その当時の国家の力をそのまま表しています。これらの国家制したのです。

が世界で勢力を広げた背景には、通信社の存在がありました。情報を制するものが世界を

生き馬の目を抜く戦争やビジネスの世界において、武力や資本力はもちろん大事である
が、何よりもまず情報がなければ相手より優位に立てない。そこで、欧米各国の資本家
（国際銀行家）や政府が注目したのが、情報の収集であり、情報の発信です。

情報収集によって、世界情勢や相手国の情勢をつかんで、攻略の計画を立てる。また、
情報発信により、相手をだましたり、攪乱（かくらん）したりして、自分に有利な状況をつくり上げる。

情報の本質とは、我々一般人が考えるような双方の交流＝コミュニケーションではなく、
相手を攻略するための一方的な手段なのです。

ロイター通信（イギリス）は現在、世界最大の通信社であり、金融・経済ニュース部門
では世界一の売上を誇ります。世界150ヶ国に支局を持ち、世界各国の主要なマスコミ
のほとんどはロイターと契約しているロスチャイルド財閥の企業です。

アメリカの通信社AP通信は、一般のニュース配信では世界一の規模を誇ります。約5
000のテレビ局とラジオ局、約1700の新聞社と契約し、世界31ヶ国で活動を繰り広

げるアメリカ最大の通信社であり、ロックフェラー財閥の所有する組織です。

通信社は、ロスチャイルド一族に有利な情報を提供することから始まりました。金融の分野と同じく、まずはヨーロッパの情報が独占支配され、アメリカではロックフェラー財閥が主要新聞社を束ねてＡＰ通信をつくり、そこを通じてアメリカの情報が支配されました。

今では、両財閥が運営するロイター通信、ＡＰ通信、ＡＦＰ通信（旧アブァス通信）の上位3社が、全世界の90％のニュースを配信しています。

その目的は、彼ら国際銀行家の利益のためであり、一般視聴者に流されるのは、彼らが我々に信じてほしい情報ばかりです。

この構図がわかれば、これらの通信社が、中立で公平な情報を流すことなど初めから期待できないことがわかるでしょう。

ニュースの取捨選択と解釈が一方的にされているのです。

まず、世界に無限に存在する事象の中から、何が報道されるべきか、彼らによって決められます。

そして、ある事件については、彼らの利益になるような偏った見方だけが報道され、また別のニュースでは、都合の悪い情報は隠されるという形でニュースが操作されます。
また、場合によっては、事件そのものがでっち上げられるというケースまであります。
現在、ロイター通信はコンピューターによる経済・金融情報の提供によって、「今では
ロイターなくして世界の市場は動かない」という状況にまで発展を遂げています。
ロイターが流すニュースによって、おカネが動き、市場が動き、世界が左右される。
我々が注意しておきたいのは、さまざまなニュース報道は、一見関係ないようなものでも
投資市場の動きを意識したものであるということです。
投資家に投資の材料として提供されているということです。さらには、ニュースの提供
という目的を超えて、通信社自身がニュースを使って投資家の心を揺さぶり、金融市場を
操作するという仕組みになっています。
通信社の本来の雇い主である国際銀行家の利益のために、一般の投資家を欺く情報を流
すことが、通信社の役割となっているのです。
過去の世界恐慌を例に挙げるまでもなく、マスコミ報道を信じて投資にのめり込み、近
年のリーマン・ショックで企業や一般市民が大幅な損害を受けた事実を見れば明らかです。
通信社がジャーナリズムであるというのは、その成り立ちを知らないがゆえに抱く幻想

にすぎません。

通信社から配信されるニュースの受け売りをそのまま一般大衆に報道する新聞、テレビに至っては、一部の例外はあるにせよ、ジャーナリズムとは遠くかけ離れたものになっています。

一般の事業のみならず株や債券の取引では誰よりも先に関連情報を得ることができた者が利益を手にします。

経済活動においては、マネーをつくり出す手段とともに、情報を制する者が市場を制するのです。そのことは昔も今も変わりません。

情報を誰よりも早く手に入れる手段を国際銀行家は早くから整備しました。近代の国際情報機関は国際銀行家たちが構築したものです。

当初は誰よりも先に情報を得るのが目的だったが、そのうち情報を独占しコントロールするようになります。それが通信社の設置でした。

こうして欧米発のニュース配信に世界が染まっているのが現在まで続くマスコミを通じた情報操作の実態なのです。

## マネーとマスコミの情報操作は最強のマインドコントロール

マスコミの目的は、利益の追求です。

そこには情報産業としての利益と、情報によって市場を操作できる利益とがあります。

そしてマスコミ権力の肥大化は、マネーの国家や社会をもコントロールしていく最強のマインドコントロール兵器となります。

マスコミの情報操作と通貨発行権の独占に基づくマネーの社会操作が結び付くと、市民はもちろん世界をも手玉に取ることが可能になります。

マネーの性質を用いて資本主義の操作を行い、景気変動を起こす。しかしマスコミはそれをマネーの操作ではなく別の観点から説明する。そうすると、市民はそれが景気変動の真因だと信じ込む。

操作する側は最初からわかっているから、株や不動産の投資でもうけ放題となります。

一方、情報をマスコミを通じて受け取る市民は、マネーとマスコミの情報操作の餌食（えじき）になり大損をする。

マネーのステルス（隠密）性で目くらましされ、マスコミの情報伝達の段階でマインドコントロールをかけられる。

資本主義社会においては、通貨発行権とマスコミさえ握っていれば競争で負けることはない。

これはほんの一例であり、ありとあらゆる組み合わせでマネーとマスコミの情報操作のコラボレーションは活用できる。こうなれば政治権力でさえも欺くことが可能である。

こうして世界は、マネーとマスコミの支配者に手玉に取られてきました。

## アメリカの中央銀行「ＦＲＢ（連邦準備制度理事会）」

ＦＲＢが設立されるまでアメリカ合衆国には長い間、中央銀行が存在しなかったが、イングランド銀行の所有者たち（株主の銀行家たち）は、１７７６年の建国以来、アメリカにも同じ中央銀行を設立しようと何度も試みてきました。

アメリカの巨大財閥を仲間に引き込むことに成功した欧州の銀行家たちは、１９１３年、民間が所有するアメリカの通貨・ドルを発行する中央銀行、ＦＲＢ（連邦準備制度理事会）を創設し、アメリカは欧州銀行家の支配を受けることになりました。

ただしアメリカ人が中央銀行という名前に反発を示すことを考慮し、「連邦準備制度理事会」というわかりにくい名称にしたようです。

ＦＲＢの実態、ニューヨーク連邦準備銀行の株は、ロスチャイルド財閥の銀行がそのほとんどを保有しており、アメリカ政府は一株も保有していません。

アメリカの経済の安定のためと称して、設立されたアメリカの中央銀行は、民間人の資金で設立され、その支配権も利益も民間の銀行家の手に委ねられた完全な私有企業なのです。以後、アメリカ政府が紙幣の発行をするときは、ＦＲＢに債券を発行し、ＦＲＢからドル紙幣を受け取るようになります。債券を受け取ったＦＲＢには所定の利子が政府から支払われ、ＦＲＢの株主たちに配当金として分配されます。

それまでアメリカには所得税がなかったのに、ＦＲＢへの配当金を支払うために所得税が創設されました。つまりＦＲＢの株主たちへの配当金は、一般大衆の税金によってまかなわれるという、信じがたいシステムです。

また、マスコミを通じた世論操作の力は絶大なものになっていました。多くのアメリカ人は、国家が乗っ取られたことに気づかなかったのです。

表向きは民主制が続いていたので自分たちの主権は維持されていると思っていたのです。操作される民主主義の「極意」は市民に気づかれないようにすることです。まさに金融とは、気づかないうちに国家を征服する「沈黙の兵器」です。

アメリカの通貨発行権の獲得は、銀行家勢力によって操作される民主主義の全盛期をつくり上げました。

## 銀行家と闘った大統領

アメリカには歴代の大統領が国を守るため、命をかけて中央銀行と戦ってきた歴史があります。創成期のアメリカは、まさに政府と銀行の戦いの連続でした。

イギリスの中央銀行の支配者たちは、アメリカに中央銀行を設立し、通貨の力で国を丸ごと所有してしまおうと画策しました。それに対し、アメリカ合衆国建国の父たちが激しく抵抗して起きたのが独立戦争です。つまり、１７７５年から１７８３年まで争われた戦争とは、国家の「独立」のためではなく、通貨発行権をめぐる戦いだったのです。その結果、アメリカは見事、独立を果たし、国家として認められることになったものの、肝心の通貨発行権の戦いには負けました。

初代ワシントン大統領は、紙のおカネが生み出す危険性をよく知りながらも、中央銀行の設立を20年の期限付きで認めてしまったのです。アメリカ合衆国の独立は、当初から形だけのものであり、イギリスと同じように銀行家に財布の紐を握られた国家になってしまったのです。しかしながら、アメリカ創成期の大統領たちは通貨に対してまっとうな哲学を持っており、独立の達成後も彼らは中央銀行に戦いを挑みました。

第7代ジャクソン大統領は、ロスチャイルド一族の支援を受けた銀行家のニコラス・ビドルと政治生命をかけて激しく対決しました。彼の有名な言葉に、「銀行が私を殺そうとしているが、私のほうが銀行を潰す」というものがあります。ジャクソン大統領は、二度の暗殺未遂事件を切り抜け、「銀行は不要！　大統領にはジャクソン！」のスローガンで大統領に再選すると、「貴様らのような悪党や泥棒の一味は、永遠なる神の力をもって一掃してやる！」との言葉通りに、ビドルの中央銀行（第二アメリカ合衆国銀行）を潰すことに成功しました。

その後77年間、アメリカに再び中央銀行が設立されることはありませんでした。彼の墓石には「私は銀行を潰した」と刻まれています。

第16代リンカーン大統領は、南北戦争の背後にアメリカを分断し弱体化させ、再び中央銀行の設立を企むロスチャイルド一族の存在を知り、彼ら銀行家に頼らないグリーンバックという「政府紙幣」を発行しました。

「私には二つの強敵がいる。南軍とその背後にいる銀行家だ。私にとって最大の敵は銀行家である。

そして、戦争の結果で最悪なことは、企業が王座を占めることだ。そうなれば、ひどい腐敗の時代が訪れるだろう。

おカネの力は、人々の目を騙し、富が一握りの人々に集中し、共和国が崩壊するまでその力を失うことはないだろう」

「カネの権力者たちは平時には国民を食い物にし、有事には罠を仕掛ける。その様は、絶対君主よりも横暴で、独裁者よりも横柄で、官僚制度よりも利己的である。

そして、彼らは自分たちのやり方や犯罪行為を指摘する者を公衆の敵と呼び、攻撃を加えるのだ」

「政府には信用と通貨を創造する権利があり、その信用と通貨を税金やその他の形で回収する権利も持っている。

政府の運営や公共事業のために利子を払って資金を借りる必要もなければ、そうするべきでもない」

・

リンカーンが推し進めて発行した政府紙幣は、絶大な経済効果を発揮しました。中央銀行に支払う利子の発生しない政府紙幣が有効であることを証明したのです。しかし、この紙幣もリンカーンの暗殺とともに消えてしまいました。リンカーンは在任中に暗殺された初めての大統領です。その黒幕には、政府紙幣の発行を快く思わなかった国際級行家の存在があったことを指摘する声は多い。

第20代ガーフィールド大統領は、就任してまもなくＦＲＢへの不快感を表明します。

「誰であろうと貨幣の量をコントロールする者がすべての産業と商業の絶対の主である。最上層のごく一部の権力者がすべてのシステムをいとも簡単に操っていることに気づいたら、インフレと不況がどのように起きるかなど、人に聞かなくてもわかるはずだ」

彼は、この2週間後に暗殺され、リンカーンに続いて在任中に暗殺された二人目の大統領となりました。

第35代ケネディ大統領は、1963年6月に通貨発行権をFRBから政府の手に取り戻すことに成功しました。しかし、そのわずか半年後には暗殺されました。

その後、彼の刷った政府紙幣は即座に回収され、それ以来、通貨発行権を取り戻そうとする大統領は出てきていません。

また、第40代レーガン大統領は、アメリカ国民の所得税がすべてFRBへの利子の支払いに充てられていることを調査した後、暗殺未遂に遭っています。

以上が、銀行家に対する歴代のアメリカ大統領の命懸けの戦いですが、議会においてもFRBを痛烈に批判する発言をした人物がいたことが議事録に残っています。

「議長、わが国には世界一腐敗した組織があります。FRBのことです。この不正な組織は、アメリカ国民を貧乏にし、アメリカ政府を破産に追い込むでしょう。

FRBは政府機関ではなく、自らの利益と外国の顧客のために、合衆国の国民を食い物にしている私的独占企業です。金融盗賊とも呼ぶべき腹黒い彼らの中には、小銭を奪うために相手の喉元を切り裂くこともいとわない者もいるのです」

彼は正義感に溢れた気骨のある人物だったが、2回の暗殺未遂の末に毒殺されてしまいました。

最近では、FRBのからくりと虚偽にまみれた正体に気づいた多くの国民と共和党ロン・ポール氏のような政治家が、「FRBを潰せ！　政府に通貨発行権を取り戻せ！」という運動を立ち上げています。

現在の大統領選でも、民主党予備選で健闘したサンダース氏や共和党候補トランプ氏はウォール街の銀行家（1％の富裕者）からの支援を受けていません。

## 「日本銀行」

「日本銀行」（日銀）は、明治14年（1881年）大蔵卿（大蔵大臣）だった松方正義によって設立されたました。松方はロスチャイルド家当主からの間接的な指示で、国立銀行から通貨発行権を日銀の手に奪い取っていたのです。日銀は、「認可法人」といって政府機関でもなければ、株式会社でもない曖昧な定義の組織で、完全な政府組織ではありません。日銀の持ち株の55％は政府が所有することになっているが、残りの45％の株は政府以外の民間人の所有となっている。

ある説では、ロスチャイルド一族と天皇家が20％ずつ持ち、残り5％を個人や法人が持つといわれたりするが、実際のところは、情報は非公開のため、事実は不明である。

日銀は、日本と国民の経済発展のために存在するとされていますが、その実、政府と国民の意思を反映する機関ではありません。日本政府から独立した機関であり、紙幣をどれくらい作るか、あるいは作らないかを自由に決める権限を持っています。また日銀総裁は国民の選挙でなく、日銀関係者内部の一存で決められ、国民は選ぶ権利を持ちません。半年や1、2年で交代させられることもある総理大臣よりも、お金の実権を握る歴代の

「日銀総裁」こそが「日本の国王」であるという専門家の指摘もあります。

日銀総裁は時折、世界中の中央銀行総裁が集まる会議に出席して、そこで決められた指示に忠実に従うことになっています。つまり、日銀は日本政府ではなく、事実上はBIS（ビーアイエス）（国際決済銀行）に属しているといえます。

日本のバブルもデフレ不況も日銀によるものです。

いくら金融緩和しても、株や土地などの金融部門に投入されるだけでは、アメリカへカネが回るだけです。おカネの量が全体で増え、実質経済に回らなければ経済規模（GDP）には影響しません。

現在のアベノミクスも同様です。

## ケインズ理論と財政赤字の拡大

世界恐慌で混乱する経済状況でイギリスの経済学者ケインズの理論が注目されます。

「世界恐慌のような消費が伸びない状況では、市場に勝手にまかせていても不況は深刻になるばかりである。そこで、政府が財政支出を行い、需要をつくり出し、消費を増やせば景気は回復する」

消費が伸びず、商品の値段が下がるデフレ不況期であれば、政府が通貨を発行して公共事業を行うことで、財政赤字をつくらず、インフレにもならずに景気を回復させることができます。

しかし、政府が通貨を作らないシステムで、財政出動を説いたケインズ理論を行えば、必然的に国債の膨大な発行以外に選択肢がなく、莫大な財政赤字を創出します。

政府はますます借金漬けになり、多くの国債を購入する国際金融財閥の利益と権限の拡大につながります。

## 世界の中央銀行を束ねる国際決済銀行（BIS）

世界各国の中央銀行の頂点には、中央銀行を束ねる国際決済銀行（ＢＩＳ）という存在がある。国際決済銀行は「中央銀行の中央銀行」とも呼ばれる。

国際決済銀行は、もともと1930年に第一次世界大戦で敗戦したドイツの賠償金の支払いを統括する機関として設立され、本部はスイスのバーゼルにあります。そして、この銀行を代々取り仕切っているのは、仏ロスチャイルド一族の血縁者です。

国際決済銀行が世界中の中央銀行にそれぞれ指示を出し、世界中に出回る通貨の供給量がコントロールされます。

## 銀行家は世界の支配者

国際銀行家は、中央銀行を設立してその所有権を直接握る、もしくは中央銀行の集まる会議で指示を与えて間接的に支配する。指示を受けた各国の中央銀行は、決められた量のお金を発行し、政府や銀行に貸し付けて利子を取る。

これにより、景気、不景気やインフレ、デフレが決まる。国の経済は、このようにコントロールされるのです。

そして、中央銀行に借金を負う政府は、その返済のために国民から必要以上に税金を取り立てなければならない。負担は最終的に、我々国民にすべて課せられます。

ちなみにアメリカの場合、国民の所得税は、すべてFRBへの利子の支払いに充てられています。

「一国の通貨を発行する権利を私に与えよ。そうすれば、誰が法律をつくろうがかまわない」

「カネの出る蛇口が手に入った以上、大統領の地位も議会も不要」

彼らの考えでは国の通貨を押さえてしまえば、法律や政府や議会などはどうでもよいということです。

彼らの言葉からは、民主的で合法的なやり方でなく、おカネの力で世界を支配しようとする姿勢がうかがえます。おカネを無限に作る権利を手に入れて、その力で世界を支配しようという哲学です。

## 戦争と国際銀行家

戦争は国と国とがいがみあって起こるのではなく、意図的に起こされます。

戦争は、あらゆるものの中で一番おカネのかかることです。いかなる形の戦争もその背後の銀行家や財閥の存在抜きにはありえません。彼らは膨大な富を使い、戦争当事国の両側に彼らの代弁者である政治家を雇って権力の座に置き、武器を双方の国に売りつけ、世界中のどの国や地域でも戦争を意のままに起こすことが可能でした。

例えば、ナチスドイツ。

歴史の授業では、いきなりファシズムが台頭して、ヒトラー率いるナチス党が突然、ドイツに現れたように教えられるが、当時のドイツは第一次世界大戦に負けてベルサイユ条約で決められた莫大な賠償金がありました。その賠償金の返済もままならないのに、あの強大な軍隊と武器を買い揃えるお金がいったいどこにあったのか。

ドイツ政府は、そんな大金など持っていなかったはずです。では、ナチスが手にしていた莫大な軍資金はどこから来たのか？

財閥らは、資金提供の他にも軍需物資、化学物資の提供や収容所の建設などあらゆる面でナチスドイツを支えていました。

彼らは本来ドイツの敵であるイギリスやアメリカの連合国軍側です。

しかし、彼ら国際銀行家や財閥は、国家を超えた存在であるため、国の利益など意に介さず、自らの利益のためだけに動きます。

こうして、日本だけでなくドイツも彼らから資金提供を受け、第二次大戦が起きていきます。

## 「私の息子たちが望まなければ、戦争が起きることはありません」

この言葉は、ロスチャイルド財閥初代当主マイヤー・アムシェル・ロスチャイルドの妻であり、国際銀行でヨーロッパを支配した5人のロスチャイルド兄弟の母親グートレ・シュナッパーの言葉です。

19世紀後半には、世界の富の半分以上を所有していたとされるロスチャイルド財閥。母親の言葉通り、近代に起きた世界中の戦争はすべて、彼女の息子たちが支配する国際金融権力によって、立案され、計画されました。

当事国に必要な「資金と武器」の供給を行い、そのすべての支援を受け、意向を受けた政治家が両国に配されます。
戦争は用意周到に意図的に起こされてきました。
欧米だけでなく、日本にも大きな影響を与えてきました。

## 操られた日本の戦争

明治以降から現代に至る歴史の中で、特に戦争とおカネの分野ではいつもロスチャイルド家、ロックフェラー家が深く関わってきました。

彼らは決して歴史の表舞台に出てくることはありませんが、彼らに仕(つか)える政治家によって実行されてきました。

①明治維新

日本の明治維新は、坂本竜馬などの活躍による薩長連合によって幕府が倒され、鎖国から開国へと日本の近代化が始まったと賛美されます。

しかし、戦争には武器が必要であり、その武器を買うにはおカネが必要です。強大な江戸幕府を薩長連合で倒すのは相当なものです。その武器とおカネは誰が用意したのでしょうか？

教科書では、このおカネの流れにまったく触れられていません。あたかも「革命」が起きたかのようにいわれますが、真相は、長崎グラバー邸で有名な武器商人グラバーにより、もたらされたものだといわれます。グラバーはイギリス・マセソン商会（ロスチャイルド財閥）の代理人でした。グラバーは、幕末の混乱に着目して、竜馬を使って薩長を結び付け、その後、両藩を支援して幕府を転覆させようと計画しました。

グラバーの手引きにより、敵対していた薩摩の五代友厚（ごだいともあつ）と長州の伊藤博文にイギリス留学を斡旋し、交流させたり、長州の5人の若者（長州ファイブ）を留学させました。今の価値で10億円とも推測される留学費用はマセソン商会が負担しており、イギリスでは文字通りマセソン・ボーイズと呼ばれています。

ロスチャイルドやマセソンにかわいがってもらった5人の若者たちは日本に帰り、明治政府ができた後、日本の最高指導者になります。

〈明治維新をロスチャイルド側から見ると〉

日本と貿易を始めたグラバーは幕府の体制が古いためうまくいきません。そこで、倒幕派の下級武士に資金と武器を提供し、クーデターを起こさせます。自分たちが教育し、支援した若者たちが政府を転覆し国を乗っ取ります。彼らを通じて日本を支配し有利な関係を結びます。

明治新政府はこのように創設されました。

しかし、所詮、イギリスの後押しでできた傀儡（かいらい）政権ですから、不満を持つ者も多く出てきます。そこで、新政府を相手に、不満を持つ旧幕府軍が戦いました。

多くの悲劇を生んだ内戦（戊辰戦争）です。

新政府軍の圧勝により、地方の下級武士と下級公家によるクーデターは完遂したのです。

戊辰戦争では、イギリスのロスチャイルド家とフランスのロスチャイルド家が二手に分かれ、薩長新政府軍と幕府軍の両方を資金と武器で支援します。

その後、どちらが勝っても支配権と利益を手に入れます。

さらにこの後、明治政府をつくらせた後に、今度は外国と戦わせます。

②日清戦争

日清戦争は見かけ上は日本と清国が朝鮮半島の覇権をめぐり戦争に至ったことになっていますが、金融の面から見た場合に、両国とも戦費をイギリス・ロスチャイルド系銀行から借りており、清国から日本に支払われた賠償金も、実質は、イングランド銀行に流れ戦艦三笠の建造費支払いにイギリス産業へカネが動いていたことが判明しています。

つまり、日清戦争というイベントで発生した戦費や賠償金の大半が英国の銀行間で行き来しただけで、動いたカネを日本と清国が背負い、その後、そのことに縛られていくことになります。

③日露戦争

当時の英国にとって、ロシアは脅威であり、それを抑止するために日本の力が必要でした。疲弊していた英国は「日英同盟」は「英国の自衛」のためというのが、最大の理由でした。だから英国は、日露戦争時、観戦武官を大量に派遣し、日本軍の作戦会議にまで参加しています。日本がロシアに負けてもらっては困るからです。海においては、三笠など英国製の軍艦が活躍し、日本海海戦でバルチック艦隊を撃破しました。

小国の日本が大国のロシアを相手に戦いました。

この戦争は、有色人種が白人相手に勝利した初めての戦争ということもあり、当時の日本国民はおろか、白人の支配下にあった東南アジアをはじめとする植民地の国々は狂喜乱舞しました。

さて、日露戦争もロスチャイルド家の視点から見ると、イギリスやアメリカのようにまだ支配下にない大国ロシアを、育て上げた日本と戦わせ、封じ込める戦争でした。

そのために日本に戦費を貸し付け、自分たちの会社の武器を買わせ、ロシアと戦わせ、ロシアを叩いた上で日本からも巨額の利子を取り上げるという構図です。

形として、戦争には勝ったものの戦勝国の利権である賠償金はロシアから一切もらえませんでした。

政府はロスチャイルド家とその仲間であるジェイコブ・シフに高い利子と元金を払い続ける羽目になりました。

国家財政は火の車、不満を持った国民が東京で暴動を起こし、戒厳令が敷かれたほどです。

ロシアは戦争に負け、日本は経済的な大打撃を受けるだけに終わり、結局この戦争で勝ったのはロスチャイルド家だったのです。

莫大なおカネがかかる近代的な戦争で国家が借金漬けにされる一方で、その楽しさを植え付けられた日本の上層部は、その後、戦争ビジネスの深みにどんどんはまっていきます。

ロスチャイルド一族から日本へ与えられた次なる戦争ビジネスへの招待は、中国侵略と満州国の建設でした。

## 戦争中毒

第一次大戦後の1919年、ロスチャイルド一族は、BIS（国際決済銀行）を設立します。

その名目は、敗戦国のドイツから賠償金を取り立てるためだったが、その裏ではこの銀行から日本やドイツに戦費が貸し出されていた。それはなぜか？

ロスチャイルド一族は、イギリス・フランス・アメリカなど連合国側であるが、戦争は敵がいなければ成り立たない。そこで、敵側となるドイツや日本にあえて資金提供がなされたのです。彼らは第一次大戦後に国際連盟を立ち上げる一方で、次の戦争の準備をしていました。資金提供を受けた日本軍は、1931年に満州に攻め込み、そこで数々の財宝や麻薬を手に入れます。関東軍師団がハルビンに入城すると現地のユダヤ会堂には首尾よく、ロマノフ王朝の財宝が数多く置かれていたり、チンタオの中国銀行の倉庫には大量の麻薬が置いてあったりしました。

これらの物資が満州国建設の資金になったが、すべて国際銀行家が日本を戦争の深みへ導くために与えた甘い汁だったのです。

莫大な富を手にして欲に駆られた軍人は、もはや歯止めが利かなくなります。

## 戦争はビジネスである

日本の財閥はアヘン売買に手を染め、ペルシャから仕入れて中国人に売りつけることで莫大なおカネをもうけました。

国際決済銀行は戦時中、英米と日本・ナチスの両陣営と取引を続けることで、戦争の長期化を可能にしたのです。

当時の天皇財閥や軍部は、彼ら国際銀行家の指導を受け、戦争を実行して我欲のままに富を蓄積していたことになります。

国民や兵士にとっては命懸けの戦争でも、彼らにしてみれば単なるカネもうけにすぎません。

ただ、その規模があまりにも大きく魅力的だったため、やめることができなかったのです。

その一方で、国民にはもっともらしい民族主義の大義名分が与えられたが、それらは聞こえのよいウソ以外の何物でもなかったのです。

## 太平洋戦争と原爆の裏側

太平洋戦争については、いくつもの疑問が残ります。

中国と10年にわたり泥沼化した戦争を続けながら、さらに大国アメリカとの戦争に踏み込んだのです。

普通に考えたら、日本のような小国が同時に二つの大国と戦うなど、あまりにも無計画で無謀なことです。

太平洋戦争の流れには、戦争のプロである国際銀行家が日本に資金提供しながらたくみに戦争の深みに引きずり込み、上層部にたっぷりと甘い汁を吸わせ、戦争をやめられない状態にしておいて、最終的には原子爆弾を落とすというシナリオを仕組んでいたことが読み取れます。

なぜなら、日本に中国侵略の資金を用意したのも、戦争を継続させるために軍需物資を提供し続けていたのも、原子爆弾を製造して日本に投下したのも、すべて同一のロスチャイルド財閥を中心とする国際銀行家だったからです。

原爆投下。

「まず、2種類の新型兵器の威力を実地テストで把握しておきたい。また、その威力を世界中に見せつけておいて戦後には、戦勝国側の大国に原子爆弾の技術提供もしくは実物を販売して莫大な利益を得る。

その他の小国は、それら大国の核の傘の下に入れて管理する」

世界支配と利益の追求を第一義とする国際銀行家の動機から見ると、とても計画的なものです。

## 世界恐慌の裏側

国際銀行家が起こす歴史上の出来事は、戦争だけではありません。金融恐慌も彼らが意図的に起こすことの一つです。その代表的なものに、1929年の世界恐慌があります。

繁栄の頂点にあったアメリカのニューヨーク株式市場の株価が大暴落し、これをきっかけに多くの銀行や工場が潰れ、失業者が街に溢れ、多くの自殺者を出しました。混乱は世界中に広まり、日本も大きな影響を受けました。

これも戦争と同様、通史では当時の政策の失敗や社会状況により、成り行きで起きたことと されていますが、少数の国際銀行家によってたくみに仕組まれたことでした。

世界恐慌を意図的に起こし、アメリカ国民から巻き上げたおカネで、ナチスドイツという敵をつくり出したという構図です。

第二次世界大戦は、英米の国際銀行家が資金づくりの段階から用意周到に仕組んだ戦争だったのです。

そして、第二次世界大戦の歴史を知る上で、何よりも忘れてはいけないことがあります。それは、ユダヤ人の大虐殺や広島・長崎への原爆投下など、戦争の残虐性ばかりがクローズアップされることで、一連の非人道的行為が、そもそも誰の手によって起こされたことなのかという肝心なポイントから人々の注意を巧妙に逸らされていることです。

これらのスポンサーが誰であったのかは、学校教育でも教えられないし、テレビでも伝えられることはありません。表面的な出来事ばかりが教えられ、議論され、反省されることで、決着がついたかのような幻想がつくり出されています。肝心なことがすべてかき消されてしまっているのです。人々の悲しみと反省の感情につけ込んで、知性を鈍らせている一例ともいえます。

国際銀行家の存在を視野に入れて歴史を振り返ると、私たちが学校で習う歴史上の登場人物、政治家や軍人などは彼らに操られたゲームのコマであり、脇役にすぎないということになります。

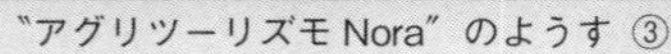

“アグリツーリズモ Nora” のようす ③

●Vol.86-87（2016年4月30日発行）

# 史上最悪の選択TPP

## グローバル企業のための日本改造計画

土建業が仕事がなくて倒産するようなとき、外国から土建業者を連れてきて、競争させるとどうなるのでしょうか。

働く場所がないのに、安い賃金の外国人労働者が入ってきたらどうなるのでしょうか。

労働者を守るための労働法が、安くていつでもクビにできる非正規雇用を常態化し、企業を守るための労働法になりました。

「会社は社長のためにあるのではなく、従業員とその家族のためにある」といった日本型経営が、「会社は株主のためにある」となって、会社の利益が増大しても従業員に配分されなくなり、サラリーマンの実質賃金は下がり続けています。

当然、消費が冷え込み、商品が売れない、そこで、消費税を増税したり、社会保障費を引き下げしたりするとどうなるのでしょうか。

不景気の原因は、仕事がない（需要がない）のですから、仕事を増やし、雇用を増やし、家計の所得を増やし、消費「需要の側」を増やすことです。規制を緩和し、市場を開放して、新たな業者を参入させ、自由競争させることは、「供給の側」を増やすということです。

まったく逆のことをやっているのですから、景気が良くなったりしません。グローバル企業の利益のための「カイカク」でした。TPPはそれを一気に進めるものです。

日本銀行がいくらおカネをジャブジャブ印刷しても、仕事がないのですから、機械を買ったり、工場を大きくしたりできず、そのおカネは余ってしまいます。

結局、ジャブジャブ刷られたおカネは、日本で行き先がなくて、アメリカの国債を買い、日本のおカネがアメリカに渡ります（円キャリートレード）。

日本のおカネを刷らせて、アメリカが使う。日本はアメリカのキャッシュディスペンサー、これがアメリカによる「日本財布論」です。

景気が悪いときには、民間企業は設備投資できない（需要をつくれない）のですから、政府がおカネを刷って、将来性のある有効な公共事業（例えば不良債権化した原発から自然エネルギーへ転換するなど）を出して、国内の仕事（需要）を増やさなければ、景気が良くなったりしません。国内の内需を拡大させること、日本のためにおカネを投資することが景気対策の基本です。最も重要なことは税収を増やすことですが、問題は税制度です。

グローバル時代は、税金が高いと企業が逃げていくとか、金融資産は他国に流れていくとかで、高額所得者の税金を低く抑えていることが税収不足の問題です。消費税を上げてその分、法人税を減税すればチャラです。まさに貧乏人から富裕者におカネを回していることになります。逆累進課税ともいうべき消費税を基幹税とする考え方は、グローバル企業のための政策です。

庶民から税金をしぼり、利益を上げている企業は減税や税金逃れする、高額所得者の税率はかつての半分になっています。というのでは、税収は下がるし、貧富の格差はどんどん広がります。

## 愛国者が進める売国

「私はＴＰＰについて国家主権の放棄であり、平成の『開国』どころか平成の『売国』だと考えている。

政治家の中にもいろんな考えや判断があるけれど、ＴＰＰ問題は日本を守る断固とした決意のある『保守政治家』か否かのリトマス試験紙みたいなものだ」

と、主張していたのは、ＴＰＰの調印式に日本代表として晴れ姿（和服）で、列席した高鳥内閣府副大臣です。

「国の主権を損なうようなＩＳＤ条項は合意しない」は、総選挙の自民党公約でした。

ＩＳＤ条項は、それぞれの国の法律以上に、外国企業の利益のほうが優先される、そんな社会がやってくるのです。

国民が選挙で選んだ代表によって法律がつくられ、実行されていくという「国民主権」が崩れてしまう、ということなのです。

自分たちがつくった法律が、外国によって勝手に変えられてしまう。

そう考えると、TPP加盟によって、日本という国が崩壊してしまう、といっても過言ではありません。

TPPで、国民を守るための関税を撤廃し、国民を守るための法律・制度（非関税障壁）を撤廃すれば、まさに関税自主権を放棄し、治外法権を認めた江戸時代の不平等条約そのものです。

これは、黒船来航とか、敗戦とかと同じくらい、歴史的な重大事です。

オバマ大統領は、

### 日本が貿易国というのはウソ

日本は内需の国なのだ。輸出業のGDP比は11％ほどにすぎない。輸出依存度が世界170ヶ国の中でなんと164番目に位置する、日本は内需の国なのである。

農林水産業のGDP比はわずか1.5％という前原発言があって、TPP反対＝農業を守ること、TPP推進＝工業輸出を伸ばすこと、と勘違いされた。

日本が輸出で稼げるものといえば、自動車、家電製品など「耐久消費財」が主。では、耐久消費財の輸出額はどれだけかというと、GDP比1.652％しかない（2009年度）。

農林水産業の1.5％とたいして変わらない。輸出業全体でもGDP比は11.5％しかない。

国内でのサービス業（GDP比20.8％）や卸売・小売業（同13.1％）のほうが、日本経済で大きな比重を占めている。日本は貿易で食べている国というよりも、内需（国内の需要）でもっている国なのだ。

輸出の増加によって雇用機会を増やすと公約しており、そのために日本に対して関税撤廃と規制緩和、さらに多くの非関税障壁の撤廃を要求し、TPPという国際条約によって、日本国内では日本の法律よりもアメリカの法律を優先させる条項を締結させようとしています。

アメリカは世界最大の債務国であり、経済的にはもはや破綻状態にあることを考えると、日本の国富を根こそぎ収奪する手段が、究極のグローバリズム＝TPPです。

まさに「悪魔の罠」です。

## 異常な秘密交渉

6年にわたるTPP（環太平洋経済連携協定）交渉は、交渉内容も、何を秘密にしているかも秘密だという異常な秘密主義に基づいて行われ、しかも、交渉文書は協定発効後4年間秘匿されるという、おおよそ民主主義とは相容(あいい)れない異常なものです。

よほど知られては困る内容なのでしょう。

12ヶ国が大筋合意した協定文書が、２０１５年11月5日、初めて公開されました。しかし、そのページ数は、なんと５５４４ページ、厚さ10センチにもなる内容となっています。これは、国同士の約束事を書く条文ではなく、明らかに欧米企業などが結ぶ契約書であり、グローバル企業の顧問弁護士らが、分野ごとに綿密に作成したものです。しかも、ＴＰＰの本協定に対する正文は英語とスペイン語、およびフランス語で、日本語がありません。

## なぜ日本だけが、批准を急ぐのか

５０００ページにも及ぶ協定書の内容を日本語に翻訳、分析するだけでも相当な時間を要します。ＴＰＰは農業だけでなく、投資やサービス貿易など大変多岐にわたる分野をカバーしており、その全体像を十分に把握し、暮らしへの影響を精査するにはまだ時間がかかります。米国をはじめ各国でも、国会議員や市民団体が分析と問題提起を続けています。

そんな中、日本では、すでに関連法案を提出し、４月から批准審議を本格化しています。

2013年の自民党決議には「国民に十分な情報公開と説明責任を果たす」とも明記されています。

「TPPは国家百年の計だ。わが国の成長戦略の切り札」といわれても、中身すら知らされていない以上、何を根拠としているのかすらわかりません。

「バスに乗り遅れるな。守るべきは守り、攻めるべきは攻める」といって乗車を決めたものの日米の事前協議合意文によれば、「自動車や保険で日本が自ら譲歩した」ことが明記され、日本の農産物の配慮など一切触れられていません。

「軽自動車の製造をやめろ」といわれ、軽自動車の税金を普通自動車並みに1・5倍にして、昨年（2015年）から実施しています。

TPPの妥結にかかわらず、実は日米二国間の平行協議で法整備は着々と進められているのです。試合開始以前に負けが決まったようなもので、「日本は今回のTPP交渉で自動車しかメリットがないのに、なぜ譲ったのか」と疑問の声が上がっています。

TPPに参加しても日本という国にとって不利益ばかりに思えるのですが、五大新聞をはじめ、マスコミは「TPPに入ると良いことがありそうな記事」ばかりで、TPPの問題点について口を閉ざしています。

いずれにしろ、ＴＰＰは、「この国のかたち」を変えてしまう重大な問題です。何もわからないまま「批准ありき」で審議が進むようなことがあっては未来に大きな禍根を残します。

## ＴＰＰで賃金が下がる

ＴＰＰに加盟すると「労働力の移動」も自由化される。するとＴＰＰ加盟国からの労働者が日本にどんどんやってくる。例えば、ベトナムの労働者の最低賃金は月給で83万ドン～１５５万ドン（地区などの条件によって違う）。これを日本円に換算すると３０５７円～５７０９円と、メチャクチャ安い。

まあ、ベトナム人といえども、日本で働くなら、日本でご飯食べたり、家賃払ったりするわけで、飛行機代（もしくは船賃）もかけてやってくるんだから、ベトナム国内と同じ値段で働くというわけにはいかない。日本には日本の最低賃金もあります。

でも、日本人にとってはサイテーの給料でも、彼らにとっては大きな魅力。安い給料でも働いてくれる人が増えれば、企業はわざわざ高い給料なんか払わない。こうして賃金の相場はだんだんに下がっていく。給料の安い外国人に職を奪われて、日本人の失業はどんどん増えるだろう。

ちなみに、カナダ、アメリカ、メキシコの間で自由貿易協定NAFTAが結ばれたことで、アメリカ国内では50万人もの人が失業したんです。

## TPPでデフレが進む

安い給料で働く外国人が日本にたくさん入ってくれば、給料の相場が下がる。給料が下がると、経済的余裕がなくなって、みんなモノを買わなくなる。高いモノは売れないから、売ろうと思ったら、値段を安くしなくちゃならない。こうして値下げ競争でデフレがさらに進んでいく。デフレっていうのはモノの値段がだんだんに下がっていくこと。その反対はインフレだ。インフレが激しすぎても困るが、デフレも決していいことじゃない。

みんなが節約に一生懸命になり、おカネを使わなくなると、世の中におカネが回らなくなって、経済が停滞してしまう。モノが安くなっていいような気がするかもしれないけど、自分の給料も安くなるから結局買いたいものが買えない。みんながモノを買わなくなると、工業製品も売れなくなる。だから、農業だけじゃなく、ＴＰＰで工業も衰退してしまう。

## 投資の国境がなくなると

ＴＰＰに参加する！　とアメリカが言い出してから、ＴＰＰの交渉分野に新たに追加された2項目、それが「投資」と「金融」です。どうやらこの二つがアメリカにとって重要そうです。

投資っていうのは、利益を得ること＝つまりカネもうけの目的で、株を買ったり、事業におカネを使ったりすること。投資を回収し（つまり使ったおカネを取り戻し）、さらに、使った以上のおカネをもうけることが目的だ。

外国企業が自由に投資できるようになるとどうなるか？

そのいい例が、カナダの食品加工会社だ。アメリカとカナダは１９８9年に協定を結んで投資を自由化した。その結果、10年も経たないうちに、カナダの食品加工業界はアメリカに乗っ取られてしまったといってもいい。

1997年のカナダ農産物加工会社におけるアメリカ企業の割合

小麦製粉71%
麦芽製造87%
油糧種子加工86%
輸出牛肉加工70%

協定を結んでから、カナダからの農産物輸出は3倍に増えた。でも、逆に農家の収入は24%も減ってしまった。

一見産業が盛んになるように見える場合もあるけれど、もうかるのは大ガネ持ちの投資家ばかりで、庶民はおカネを搾り取られて、結局貧乏になっていくことがわかる。

投資の自由化は、大企業の利益を伸ばす半面、庶民の搾取につながっていく。

それこそがアメリカにとってのＴＰＰの目的だといってもいいだろう。

## 「金融」の国境がなくなると…

日本人が貯金や共済として預けたおカネは、その金融機関の倉庫に眠っているわけじゃない。金融機関はそのおカネを、他の人や会社に貸し付けたり、株や不動産などに投資したりする。これを「資金の運用」と呼びます。

倉庫に眠らせてたらおカネは増えないけれど、運用すれば利子を取ったり、株の配当をもらったりできて、だんだん増えていきます。資金の運用は、できるだけ日本国内でされたほうがいい。

日本国内でおカネが回れば、日本の景気が良くなるからだ。とはいっても、金融機関は一番もうかりそうだと思うところに投資するから、その投資先が海外になることも当然ある。

でも、これだけは日本国内で運用しなきゃダメ！　と決められていたものがある。

例えば、ゆうちょ（郵便貯金）、かんぽ（郵便局の簡易保険）、農協共済。こうした規制はやはり「非関税障壁」だ。

その決まりさえなくなれば、これらの莫大な資金がウォール街（証券会社や銀行が集中しているアメリカの街）に流れ込む。そして、ウォール街の連中のもうけが増える。これがアメリカの狙いだ。

でもその代わりに日本国内でおカネが回らなくなるから、日本経済はますます停滞します。

## アメリカが伝える交渉成果

アメリカで公表された政府のＴＰＰに関する概要説明、「米国の総体的利益」では、まず、ＴＰＰの目的がストレートに述べられています。

「環太平洋戦略的協定（ＴＰＰ）は、米国の労働者と企業が公平な活躍ができるよう貿易分野を改革して、米国製品の輸出を拡大し、米国民の収入を増やすよう後押しする新しい高基準貿易協定です。

ＴＰＰは諸外国が米国製品にかけている1万8000以上の個別輸入関税を撤廃するので、世界で最も急激に成長する市場のいくつかにおいて、わが国の農家、酪農家、製造者、小企業は、競争に参入し、そして勝つことができるのです。

世界の消費者のうち95％以上は海外に居住していますが、ＴＰＰによって米国製品とサービスの輸出は大幅に拡大して、米国民の職を確保するでしょう」

そして、関税面での米国の成果を要約すると次のようになります。

①米国製工業製品

ＴＰＰ加盟国への輸出に課せられている米国製工業製品の輸入関税をすべて撤廃。

ＴＰＰ加盟国への米国製機械製品の輸出にかかっている最大59％の輸入関税を撤廃。

②米国製の自動車製品

ＴＰＰ加盟国が米国製自動車製品にかけている、最高70％の関税（ベトナム）を撤廃。

ＴＰＰの中で、重要な市場である日本が、米国製自動車、トラック、その部品を排除してきた非関税障壁についても撤廃。

③米国製情報・通信技術製品

ＴＰＰは、加盟国への米国製情報・通信技術製品の輸出にかかる最高35％の関税を撤廃。

④米国産農産物

ＴＰＰは加盟国が米国産農産物にかけている関税を引き下げ。例えば、米国産鶏肉製品に対する最高40％、大豆製品に対する最高35％、フルーツに対する最高40％の関税は、ＴＰＰによって撤廃。

協定が施行されると、米国産農産物の輸出品の大部分が、すぐに免税扱い。（金額ベースで見ると）日本が輸入する米国産農産物の50％以上から、すみやかに関税が免除。

⑤鶏肉

ＴＰＰは輸入関税を撤廃。

⑥牛肉
日本は38・５％の関税を９％に削減。

ＴＰＰ協定に基づき、日本は今後15年で牛肉・牛肉製品のタリフライン（関税対象の詳細な品目リスト）の74％から関税を撤廃。

⑦豚肉
日本は豚肉にかけている諸関税の80％を11年間で撤廃し、残りについても大幅に削減。

ＴＰＰによって、わが国は日本にすべての豚肉製品にかかる関税を下げさせ、豚ひき肉味付け加工製品（日本での名称は「シーズンド・ポーク」。ハンバーグ・肉団子・ミートソース、ソーセージ、餃子の具など）にかかる20％の関税を撤廃させる。

米国の輸出業者にとって、これは年間４億３５００万ドル（４３５億円）の関税節約となる。

⑧乳製品

日本は米国産チーズに40％の関税をかけてきたが、ＴＰＰにより撤廃。

⑨ワイン・バーボン

現在、日本へ輸出する際、ワインには最高で58％の関税。ＴＰＰはこれらの税をゼロに引き下げる。

⑩大豆

日本は大豆油に21％の輸入関税をかけてきたが、ＴＰＰにより日本の輸入関税を撤廃。

以上のような米国との条約が、今、国会で批准されようとしています。

日本の完全屈服、譲歩に次ぐ譲歩、これがＴＰＰ交渉結果です。

## 日本側から交渉結果を分野別に見ていきます

【農業】

〈史上最悪の農業潰し協定〉

①「除外」規定が存在しない？

ＴＰＰによる日本の関税撤廃率は95％で、農林水産品では２５９４品目のうち２１３５品目（82％）が撤廃されます。

「聖域」とした重要品目も１７０品目（29％）が撤廃、重要品目以外では98％が撤廃となります。

自民党が「ぎりぎり超えられない一線」としていた日豪ＥＰＡを上回る、史上最悪の農業潰し協定となりました。

これまでの自由貿易協定（ＦＴＡやＥＰＡ）には、関税の撤廃・削減をしない「除外」や「再協議」の対象がありましたが、ＴＰＰにはその規定が存在しません。そのため一切の物品が撤廃対象となり、今回は撤廃とならなかった品目も、将来的に撤廃を迫られる可します。

能性が大きいのです。重要品目を「除外又は再協議の対象とする」とした国会決議にも反

米は、341円／kgの関税は維持したもののミニマムアクセス米の枠外で、アメリカとオーストラリアに無関税の輸入枠を新設。（当初3年間米国5万トン、豪州0・6万トン、その後7万トン、0・84万トン）、米価の下落は避けられません。

②後戻りできない、関税撤廃への道

日本は、7年後に米国など農産物輸出5ヶ国の要請に応じ、関税、関税割当、セーフガードを含む全面的な見直し協議を行うことが義務付けられています。

日本のように複数国の見直し要請に応じる約束をしている国はありません。

段階的に関税を撤廃する品目は、撤廃時期の繰り上げについても協議ができます。

TPPで初めて設置される「農業貿易に関する小委員会」は、農産品の貿易促進を任務としており、発効後5年間は少なくとも年1回会合すると規定されています。

日本に対し、さらなる市場開放の圧力を恒常的にかける仕組みになることが懸念されます。

③遺伝子組み換え作物の輸入が増大する恐れ

「現代のバイオテクノロジーによる生産品の貿易」は、日本や米国がこれまでに結んだいずれのＥＰＡ、ＦＴＡにも存在しない項目です。ＴＰＰが、遺伝子組み換え（ＧＭ）作物の貿易を大幅に加速させかねない条約だということを示しています。

既存の国際条約と比べて、ＧＭ作物輸出国の義務が曖昧で、輸入国の権利が弱められているなど問題点が多い。貿易の中断を回避し、新規承認を促進する条項がある他、ＧＭ作物の貿易に関する情報交換と協力を進める作業部会も設置されます。

④食の安全

・消費者の権利を奪い、グローバル企業の利益優先

・厳密な科学的証拠がなければ輸入規制できず

「衛生食物検疫（ＳＰＳ）措置」では、「貿易に対して不当な障害にならないようにする」ことを最大の狙いとしています。そのため、ＷＴＯ協定のＳＰＳ協定よりも「透明性を確保する」という言葉が重視され、自国の安全基準をつくる際に、利害関係者、つまり海外の事業者や他の国が意見を出すことが可能になっています。

新たに設置されるＳＰＳ委員会に大きな権限が与えられれば、日本が国内対策を独自に決めることを脅かします。

リスク分析の考え方が前提になると、輸入国の輸入規制に関して厳密な科学的証拠がなければ、紛争解決ルールにより敗訴します。

こうして、日本が予防原則に基づき、安全性確保のためにとろうとする措置は排除される可能性があります。

⑤安全性を軽視する「48時間ルール」

物品の引き取りについて規定した「48時間以内」ルールは、この手続きを「採用し、維持しなければならない」としています。

輸入手続きの迅速化というという名目で輸入検査が拙速に行われれば、今でも検査率10%程度という日本の検疫体制において、安全性を軽視することになります。

⑥食品表示を自国だけで決められなくなる

「貿易の技術的障害（ＴＢＴ）」では、各国の工業製品や食品添加物、食品表示の基準やルールが貿易の障害にならないようにすることを目的としており、「透明性の確保」「貿易の円滑化」を重視しています。

「強制規定」「任意規定」「適合性評価手続」などのルールをつくる陰には、他国の利害関係者を検討に参加させる必要があります。

例えば、日本が厳しい遺伝子組み換え食品の表示をしようとしても、米国の事業者から反対の意見が出てできなくなる恐れもあります。

またＴＢＴ委員会や作業グループが設置され、ルールの設定や見直しを行うとされ、業界代表など利害関係者も関与できるようになります。

特に米国など締約国とグローバル企業の関与が大幅に可能となり、規制を強化することは難しくなると懸念されます。


【医療・保険】


アメリカは日本に対し「病院に利益至上主義を持ち込め」とはっきり要求してきています。ＴＰＰに参加すると真っ先に起こりそうなのは「混合診療の全面解禁」です。

「混合診療」とは何か、まず説明します。

健康保険の使える医療の範囲は定められていて、最先端の医療はまだ保険の対象になっていない、という場合があります。この場合、保険の利かない医療と、保険の利く医療を同時併用（混合診療）すると、保険の利く部分の医療まで、自費で全額負担しなければならない、ということになります。こういう規則があると、混合診療したら医療費がとても高くなってしまう。じゃあ、混合診療はやめよう、と大抵の人は思う。これによって、保険の利かない医療の利用は抑えられています。つまり、この「混合診療の禁止」は、最先端の医療を売り込みたい製薬会社などにとっては、まちがいなく「非関税障壁」です。だから、きっとすぐに解禁を求めてきます。混合診療が解禁されると、保険の利く部分には保険を使い、保険の利かない部分は全額負担となります。

一見患者の選択の範囲が広がるように見えますが、日本の健康保険はただでさえ費用が膨らみすぎて問題になっているから、混合診療が解禁されれば、じゃあ保険の利く範囲を狭くしよう、というふうに話が進むのは目に見えています。

すると、保険の利く医療では最低限のことしかできない、高度な医療を受けたい人はおカネはかかりますが、自由診療を受けてください、という話になる。貧乏人とカネ持ちとで、受けられる医療の格差がどんどん広がっていきます。そしてアメリカの医療保険会社は、自由診療のための保険を真っ先に売り込みにやってくるでしょう。アメリカの医療事情は本当にひどい。公的な保険がなく、民間の医療保険が高いので貧乏な人は保険に入れない。国民全体の15％が無保険だ。入院患者に支払い能力がないとわかると、路上に捨てていく病院すらあるようです。

そして年間4万4000人もの人が、保険に入っていないがために、医者にかかれずに死んでいく……。

これがアメリカのいう「利益至上主義」医療の実態です。

ＴＰＰに加盟したら、日本の医療もその方向へ、じわじわと進んでいくことになります。

## 〈薬価が高騰、製薬大企業の思うがままに？〉

①薬価決定に製薬企業が影響力を及ぼす！

今後、アメリカの製薬企業が利害関係者として、「透明性」を盾に、医薬品・医療機器の保険収載の可否や、公定価格の決定プロセスにいっそう影響を及ぼすことが懸念されます。


現在の日本では、薬の値段は厚生労働省の諮問機関である中央社会保険医療審議会（中医協）で議論され、最終的には厚労大臣が決めることになっています。

この審議会で「利害関係者」である製薬業界の人間が「意見提出」するための機会を与

えよ、というのです。

日本の現在のシステムでは、薬の値段は定期的に見直され、だんだんに値下げされていくようになっています。しかし、アメリカでは薬の値段は製薬会社が勝手に決めることができます。アメリカの製薬会社は特に強欲で、節度というものを知らない。薬の値段を決める審議会に製薬業界の人間が入ってきて、「もっと高い値段を設定しろ」と意見を言うようになり、結果として薬の値段が上がっていくことが予想されます。

アメリカでガラガラヘビに噛まれて治療を受けたら薬代だけで１０００万円（治療費合計で１９００万円）請求されたとか。

だから、アメリカの製薬会社の人間が、日本の薬価決定の過程に口出しをするようになれば、日本の薬の値段もどんどんと上がってしまう恐れが高いのです。

②特許やデータ保護が強化され、価格が高止まり

「知的財産」章では、医薬品の知的財産保護を強化する制度として、３つの制度を導入するとしています。

・特許期間の延長制度

特許出願から販売承認までの期間が「不合理」と認定された場合に特許期間の延長を認める。

・新薬のデータ保護期間

バイオ医薬品（抗ガン剤やC型肝炎の治療薬など）の新薬について特許期間が切れた場合でも「データ保護期間」（少なくとも8年、または5年プラス他の措置）を設ける。

・特許リンケージ制度

ジェネリック薬承認時に特許権者に特許権を侵害していないか確認する。

このように製薬大企業の独占的利益を保障することは、ジェネリック薬企業にとって大きな障壁となります。

「国境なき医師団」は、「医薬品入手の面で最悪の貿易協定として歴史に残る」と批判しています。

日本にとっては、新薬価格の高止まりが続けば、国の財政負担は重くなり、患者負担の引き上げにつながる恐れもあります。

③共済、かんぽ生命も狙われている！

「金融サービス」の定義は広範で、すべての保険、銀行、その他の金融サービスが含まれる。例えばＪＡ共済や全労済といった共済も、保険業務に含まれるので適用されます。在日米国商工会議所（ＡＣＣＪ）は、「共済は競争上の優遇措置を取り続けている」と、繰り返し批判してきました。

米国が主張する「保険」分野に「共済」は含まれており、今後、共済制度に対する意見が寄せられることが十分想定されます。

また日米交換文書では、日本郵政の販売網へのアクセスや、日本郵政グループが運営する「かんぽ生命」が民間保険会社よりも有利になる条件の撤廃などについて「認許を一致した」と明記しています。

〈病院経営に株式会社が参入？〉

ＴＰＰでは協定の本文以外の付属文書が結構重要です。下記の文書のさりげない文言は大きな破壊力を秘めています。

「規制改革について外国投資家の意見を求め、それを規制改革会議に付託する」というのです。

これによって、ありとあらゆる規制が、外国投資家の都合のいいように「改革」（実際は改悪）されてしまう可能性があります。

例えば、株式会社を病院経営に参入させろ、という要求も起こってくるでしょう。

現在の日本では、病院を経営できるのは医療法人だけ。

医療法人の目的は憲法で保障された生存権を守ることです。しかし、株式会社ではまったく異なり、その目的は利益の追求です。

利益の追求が目的になると、患者の福祉とは正反対の方向に努力が注がれるようになります。

例えば、同じ地域のライバル病院を潰すための工作を行ったり、患者を継続的に病院に通わせるために、わざと治らないように薬を処方したり、といった医療従事者としてあるまじき行為も行われるようになってきます。

【知的財産】

〈米国流の著作権システムに〉

・監視と管理が進み、表現が萎縮する恐れ

日本は、著作権分野において、①著作権保護期間を現行の50年から70年に延長、②非親告罪化、③法定損害賠償制度の採用、など米国の当初提案をほとんど受け入れました。関連する国内法の改正も求められます。

日本の著作権使用料の収支はすでに年８０００億円の赤字。保護期間が延長されれば、過去の作品が二次利用されずに埋もれてしまう「孤児作品」が増える懸念があり、延長には経済的なメリットもありません。

また現在、日本では著作権侵害は、著作者自身が告訴しなければ起訴・処罰ができない「親告罪」となっているが、これが第三者からの通報があれば捜査・起訴できる「非親告罪」となることで、自由な創作・表現が萎縮する危険性もあります。

さらに法定損害賠償制度の採用によって、実損害のみを賠償金としていた日本の制度が、莫大なペナルティ的賠償金を科せられるようになります（アメリカでは1作品で上限15万ドル・約1500万円）。

【地域経済】

〈地域の企業、経済を育てることが許されない〉

「投資」、「政府調達」章では、地元から雇用や物品、サービスの調達を求めるなど「現地調達」を要求してはならないと規定しています。

地方自治体が地域の中小企業を支援するための中小企業振興や地産地消、労働者への最低賃金の支払いや地域貢献を求める「公契約条例」などが制定できなくなる可能性があります。また、政府や地方自治体が建設工事、物品、サービスを調達する際、基準額を超えるものは国際入札を義務付け、無条件に無差別の待遇を求めています。その適用範囲拡大や基準額引き下げのため、発効後3年以内に再交渉することも明記され、これまで地域の企業が請け負っていたものが地域外の企業との競争にさらされ、仕事が奪われる恐れがあります。

一自治体が主導する地域づくりや地域循環の経済も危うくなり、地域経済の疲弊が心配されます。

【環境】

〈環境よりも、企業の利益〉

貿易・投資の自由化を前提とするＴＰＰでは、環境保護はあくまで「努力目標」であり、「環境」章には具体的な罰則や企業への責任追及を求める規定がほとんどない。米国や豪州のＮＧＯは、次のように批判している。
①少なくとも７つの環境条約について実効性ある規定を設けるべきだが、触れているのはワシントン条約に関してのみ。
②違法に伐採された木材、違法に捕獲された野生生物等の貿易を禁じていない。
⑨ＩＵＵ漁業（違法、無報告、無規制）への取り組みが十分ではない。
④フカヒレの貿易と商業捕鯨を禁じていない。
⑤「気候変動」という文言すらなく、低炭素型経済への移行は自主的な手段を促すにとどまっている。
こうした拘束力のない環境章に対し、ＩＳＤＳ条項は環境破壊に関わる争いで企業に有利に働くことが多く、各国が環境規制や気候変動対策をとりにくくなる恐れがあります。

【電子商取引】

〈個人情報が海外に〉

「電子商取引」章では、企業がインターネットを通じ、国境を越えてコンピューター・プログラムや映像、音楽などを販売する際のルールが決められている。

この中で「企業側が消費者の情報（個人情報を含む）を海外の拠点に送信できる」との規定があり、企業が日本で集めた個人情報を、海外の支社や委託先などに今以上に自由に送ることができる。

もちろん「消費者情報の保護」「個人情報の保護」もうたわれているが、ＴＰＰ12ヶ国共通の規範や違反時の罰則規定などはなく、「各国政府がきちんとやりなさい」と書かれているだけ。

世界中で個人情報の流出が問題化している中、いつ私たちが被害者になるか知れず、不安は高まる一方です。

## 〈ウィキリークスが暴露した驚くべきTPPの中身〉

### 「国有企業（事業）に関する指針」がリークされました

ＴＰＰには、「ネガティブリスト」といって、自由化から除外したい領域・項目を各国あらかじめリストに出しておかないとすべて自由化の対象になります。

マレーシアやベトナムは、国有企業がターゲットにされる怖さをわかっていますから、これまで数多くの除外リストを出しています。

国有企業といえば、日本では一般に国が50％以上株を持っている会社ですが、ＴＰＰでは、国民健康保険、共済健保、国立、県立、市民病院、米価の「ナラシ」とされる価格補償保険制度、農畜産業振興機構エーリックなどの野菜、砂糖、畜産物の価格安定資金の事業もすべて含まれるのです。

## 米国ゼネコンが地方入札に

地方自治体の公共事業も国有事業に準じ、工事の限度額がＴＰＰ協定で明記されない限り、日本の中小企業と米国のゼネコンによる英語と自国語の競争入札になります。設計と工事が分離され、設計の段階から競争入札が入ります。設計金額７００万円以上は全部競争入札だと政府が漏らしていますから、地方自治体の公共事業は、ほとんど英語と自国語で行われるようになります。

ＴＰＰ最大のターゲットが何かということは、米国におけるＴＰＰ推進のロビー活動費を見れば一目瞭然です。

医療・製薬の分野で５３００億円のロビー費が投入されています。

米国にとって医療は超巨大な産業であり、将来の成長産業です。

日本への輸出総額は医薬品で３９７４億円（世界第４位）、医療機器４３５１億円（世界第2位）です。これがＴＰＰが妥結して歯止めが利かなくなれば大変な貿易赤字になります。

韓国では独立機関をつくって、アメリカなどの製薬会社も入って薬価を決めるようになっていますから、日本でも医薬品が米国と同様にとてつもなく高くなってしまうでしょう。

タミフル1本で7万円という世界に突入する可能性があります。

TPPでは、中小企業などの政策金融公庫、住宅金融公庫などの公的な金融機関、労働組合、生協、農協などの共済保険にも適用されて、政府による税制上の優遇措置などもすべて当てはまるとあります

農協や生協は10％の税制上の優遇措置があります。

カーギルやモンサントも同じ食料品を扱っていますから、まずはこれを撤廃させようとするでしょう。

中小企業は普通の銀行がなかなかおカネを貸さないため、ほとんど政策金融公庫に頼っています。金利が安かったり特別な配慮もあるため、アメリカの金融会社との公平な競争にならない。

日本の銀行や保険会社も結構アメリカから買収されているので、長い目で見れば住宅金融公庫にも影響してきそうだ。

**補助金は出せない**

ＴＰＰは内国民待遇といって、国内優遇政策はとれませんから、「ＴＰＰ対策」はもちろん、他国と対等な対応しかできません。

農業、医療、国立大学に出される補助金も、日本政府は自由に決めることができなくなり、米国の企業の都合で決められていくことになります。

企業に不都合な内容だと、ＩＳＤＳ条項で訴えられることになります。

## 〈アメリカからの警告〉

### 大企業による、アメリカ史上、最も恥知らずな権力奪取

これは、大企業が、法的強制力のある秘密裁決機関による経済制裁を押しつけ、アメリカ政府の三権を無視することを可能にします。この裁決機関が、アメリカの労働者、消費者や環境保護は違法だと判決を出し、非関税障壁違反のかどで罰金を科されることになります。

TPPは、アメリカ国内法を無視した、国境を超えた、法的強制力のある支配という独裁体制を樹立するのです。

TPPは、環大西洋貿易投資連携協定（TTIP）と、新サービス貿易協定（TISA）を含む三つの貿易協定の一つだ。

あらゆる公共サービスの民営化を要求するTISAは、アメリカ郵政公社、公教育や、他の政府が運用する企業や公益事業の存続にとって致命的脅威だ。

こうした事業の総計は、アメリカ経済の80％を占める。

この三つの協定は、最終的な国家主権を失うとともに、しのびよる大企業クーデターを強化するものだ。

国民は自らの運命を思い通りにするのをあきらめるよう強いられ、大企業という捕食者連中から、自らを守り、生態系を保護し、今や無力で機能不全のことが多いアメリカの民主的機関に、救済策や公正を求める能力を剝奪されてしまう。

専門用語、複雑な技術、貿易、金融用語、法律用語、細かな文字や曖昧な言い回しだらけの協定は、二つの言葉に要約できる。

大企業への「隷属」だ。

ＴＰＰは、議会やホワイト・ハウスからさまざまな問題に対する立法権限を剝奪する。

司法権は大企業だけが訴えるのを認められる、三人で構成される貿易裁決機関に服従させられる。

労働者や環境保護団体や権利擁護団体や労働組合は提案されている裁決機関に救済を求めるのを阻止される。

大企業の権利は侵さざるべきものとなる。国民の権利は廃絶される。

公害を引き起こす巨大な組織が協定をまとめるのを手伝ったのだから、協定は、何十年もの環境保護の進展を台無しにし、気候を脅かし、野生物を十分に保護しそこねる内容の、公害を引き起こす組織に対する景品でみちあふれている。

賃金は低下する。労働条件は劣化する。失業は増大する。我々のわずかに残された権利は無効にされる。生態系への攻撃は加速する。

銀行や世界的投機が監督や管理されなくなってしまう。

食品安全基準や規制は破棄される。

公的医療保険制度から郵便局や公教育にわたる公共サービスは廃止されるか、劇的に削減され、営利目的の大企業によって乗っ取られる。

医薬品を含め、基本的必需品の価格が急騰する。

社会的支援プログラムは劇的に規模が縮小されるか、終了してしまう。

また、協定に加盟している、カナダやオーストラリア等の公共医療制度がある国々では、恐らく大企業による攻撃の下、各国の公的医療制度は崩壊するだろう。

協定は、銀行、保険会社、ゴールドマン・サックス、モンサントや、他の大企業等の世界的資本家による6年間にわたる作業の産物だ。

協定は連中（大企業）によってつくられた、彼らのためのもので、彼らに役立つものです。国内企業や中小企業をダメにします。アメリカ製品の購入を呼びかけるバイ・アメリカン条項は消滅します。

地域社会は地方産品購入運動が許されなくなります。

協定の主眼は、民営化とあらゆるものの商品化なのです。

協定は国家が支援する企業や国有企業への深い反感を組み込んでいます。

わずかに残された我々の民主主義を、世界的貿易機構に与えるのです。

大企業は、植物や動物をめぐるものを含む非常に広範な特許を保有する権限を得て、基本的必需品や自然界を、商品に変えてしまう。

しかも、大企業が最後の一滴まで搾り取れるように計画された利益を妨げると、あらゆる法律、環境や消費者を保護するためにつくられた法律でさえも、投資家対国家の紛争解決（ＩＳＤＳ）と呼ばれるものによって、異議を唱えられることになる。

ＩＳＤＳは、ＴＰＰのもとで強化され、拡張され、連中の銀行口座をさらに増大させる。彼らの「権利」を侵害したかどで、大企業は、違反している政府から、補償として莫大な金額を受け取れる。

世界中の民事裁判所が、大企業裁判所、いわゆる貿易裁決機関に置き換えられることになります。

大企業利益が事実上、公共の利益に置き換わるのだ。

## 「TPPは悪い協定、米議会で批准されぬ」スティグリッツ氏の提言

国際金融経済分析会合が開かれ、ノーベル経済学賞受賞者であるスティグリッツ氏が、消費税増税を延期すべきとの意見を述べたことが繰り返し報道された。

しかし、消費税増税を延期すべきと言ったのは、記者の質問に答えたもので、会合では一切触れられていない。

本来のスティグリッツ氏の訪日目的は、TPP反対の先頭に立たれ、亡くなる直前までTPPの行く末を深く憂慮しておられた宇沢弘文氏（東大名誉教授）の追悼シンポジウム

で基調講演をするためで、講演の半分近くをＴＰＰ反対に費やしています。

メディアは、こぞって「消費税増税を延期すべき」とは報道したものの、肝心のＴＰＰ批判と日本への提言については一切触れられていません。唯一、『日本農業新聞』だけが、それを記載しています。

## ＴＰＰは特定集団のために「管理」された貿易協定だ

ＴＰＰの貿易協定の批准書は、ある特定の利益団体が恩恵を受けるために発効されるものです。特定の団体の利益になるように「管理」されているのが普通です。

アメリカであればＵＳＴＲ（米国通商代表部）が、産業界の中でも特別なグループの利益を代弁している。とりわけ政治的に重要なグループの利益を、です。

例を挙げてみましょう。ＧＭＯ（遺伝子組み換え生物）についてです。

ＵＳＴＲは、国民に知る権利はないと主張しているのです。

このケースの場合、ＵＳＴＲが代弁しているのは（遺伝子組み換え作物に力を入れている）モンサント社の利益です。

私が言いたいのは、貿易協定のそれぞれの条項の背後には、その条項をプッシュしている企業があるということです。ＵＳＴＲが代弁しているのは、そういう企業の利益であるということを忘れてはいけません。

ＵＳＴＲはアメリカ国民の利益を代弁しているわけではありません。ましてや日本人の利益のことはまったく念頭にありません。

## 議論すべきは、適切な規制とは何か

めざすべきは規制緩和などではないのです。議論すべきは、適切な規制とは何か、ということです。規制なしで、機能する社会はありません。

例えば、ニューヨークに信号機がなかったら、交通事故を引き起こし、交通マヒに陥るだけでしょう。

現在のような規制がなければ、環境は汚染され、私たちの寿命は昔と同じように短いままだったでしょう。規制がなければ、安心して食事をすることもできません。「規制を取りはらえ」という考え方は、実にばかばかしい。問うべきなのは、どんな規制が良い規制なのか、ということのほうなのです。

先進工業国の中でアメリカが最も格差がひどいのは、規制緩和という政策のせいで、不安定性、非効率性、不平等性がアメリカにもたらされました。規制緩和のせいなのです。そんな政策を真似したいという国があるとは思えません。

## ウォールストリートの言いなりになるな！

もし日本が危機的な状況に陥りたくないのなら、重要なことは、アメリカ流のやり方を押し付けるウォールストリート（金融街）やアメリカ財務省の言いなりになるべきではない、ということです。

すでに日本は20年ものあいだ低成長のままです。アメリカの言いなりになって、さらに次なる経済危機を迎えたいのでしょうか。

アメリカの一部の利益団体の意向を反映するＴＰＰの交渉は、日本にとって、とても厳しいものになることを覚悟しなくてはなりません。日本は本当に必死になって交渉する必要があるのです。

## アメリカで失速し始めたＴＰＰ批准

言いだしっぺのアメリカでは、厳しいＴＰＰ批判にさらされ、オバマ大統領は、残る任期で批准をめざすというものの、肝心のＴＰＰ実施法案の成立は絶望視されています。

さらに、大統領候補の指名レースで、「ＴＰＰ賛成」だった共和党のルビオ候補が地元フロリダで負け、撤退を表明。ＴＰＰを担ぐ候補は一人もいなくなりました。

トップを走るトランプ候補は「完全に破滅的な合意だ」と歯牙にもかけない。

民主党ではオバマ政権のヒラリー・クリントン候補が「反対」を表明。追撃するサンダース候補はＴＰＰ批判の急先鋒となっています。

２０１３年3月8日

密室で進む米国と環太平洋諸国の貿易協定草案がリークされました（米国、市民団体発）。

「ＴＰＰは貿易協定の衣を着た企業による世界支配の道具」です。

表向きは「貿易協定」ですが、実質は企業による世界統治です。

企業に多大な利益を与え、各国政府の権限を奪うものです。

約６００人の企業顧問には、ＴＰＰ情報にアクセス権を与えながら、上院貿易委員長のワイデン委員長はカヤの外です。ＴＰＰを監督する立場なのに草案にアクセスできない。

内容がひどいだけでなく、これは「１％」が私たちの生存権を奪うツール（道具）です。

製薬大手の特許権を拡大する条項も入手しました。

医薬品を急騰させせます。

TPPはいわばドラキュラです。陽に当てれば退治できる。

米国やすべての交渉国で市民の反対運動が起きます。

企業の権利への世界的な規制なんて私たちは許さない。民主主義と説明責任に反します。

TPP交渉は3年目ですが、一行たりとも公開しない。草案が示唆するのは、司法の二重構造です。

国民は国内法や司法を使って権利を護り、要求を推し進めますが、企業は別立ての司法制度を持ち、利益相反お構いなしのお抱え弁護士たちが、いんちき国際法に、加盟国の政府を引きずり出し、勝手に集めた3人の弁護士が政府に無制限の賠償を命じるのです。

企業の特権化を保証する世界的な協定になりかねません。

ＴＰＰは強制力のある世界統治体制に発展する恐れがあります。

さらに交渉のゆくえによっては、既存の国内法が改変され、進歩的な憲法がなくなるばかりか、新法の制定もできなくなる。

医薬品や種子の独占権が強化され、医薬品価格つり上げのため後発医療品を阻止する案まである。

各国の金融規制も緩和させられ、高リスク金融商品も禁止できない。ＴＰＰは地方財政にまで干渉します。

全国で搾取労働の撤廃と生活賃金を求める運動が広がる中で、ＴＰＰは地域産業の優先を禁じます。

地産地消や国産品愛好は許されないのです。環境や人権に配慮する商品も提訴されかねません。

ＴＰＰは企業にすさまじい権力を与えます。過激な条項を推進するのはアメリカ政府です。何が起きているか人々に知ってほしい。

● Vol.85（2015年12月15日発行）

# 日本語が亡びるとき

「軽薄で内容のない、その場限りの三文小説以外、若者は本を読まなくなりました。
詩を読む人も少なくなりました。
一人畳に座り、『千曲川旅情の歌』などを朗々と吟じられる若者がいるのでしょうか？
老人だけしか本を読まない社会は先のない社会です。
まったく若者の国語能力は平均して私たち世代の百万分の一しかないような印象です。
そこで私も居直り、今回の本は自分に向かって書くことにしました。この異郷の地で、
私はもう死を待つ以外することとてなにもありません。どうせ無駄な時間です。

老人の繰言を書きながら残り時間の切れるのを待とうと、そう考える以外に自分を鼓舞する動機を失いつつあるのです。

それにしても……、と私は考え込みます。

このように国語能力をほぼ完全に失った若者たちが、老後、その青春や人生に悔いを持たないものなのだろうか、と。

私に言わせれば、藤村の詩一つ暗誦できずに死ぬなんて、せっかく日本人として生まれてきた幸運をドブに捨て、いくら臍を噛んでも噛みきれないほどの痛恨事を人生に残すことになるのですが、もう生まれたときから豚の糞よりも汚らしい日本語を垂れ流しているテレビに毒され続けてきた世代は、はなから美しい日本語など知らぬが仏で終わるのかもしれません。

ひょっとしてあと五十年もすれば、後悔とか痛恨という日本語すら存在しなくなるのかもしれないのです。

しかし私は胸を張り高らかに自分に向かって言い残しておきたい心境です。

あの敗戦の当日から始まったような青春と人生に、私は悔いがない。その理由はただ一つ、日本がまだ日本だったからである、と。

私の青春は美しい日本語で包まれ、私の人生には国語が生き残っていたからである、と。国語を堪能（たんのう）しながら一生を終えられることは、なににもまして幸せなことなのです。どれほど素晴らしい日本語の会話を交わすことができたことでしょう。どれほど優れた日本語の書物を読むことができたことでしょう。どれほど美しい日本語の歌を覚え、歌うことができたことでしょう。

日本人が国語によって外（と）つ国々の人々が決して味わうことのできない至福を得られるという事実は、少なくとも私の一生の期間までは、あたりまえのことだったのです。

もうそうではなくなってしまっています。なにが、なぜそんなに至福だったのか、国語を失った若者には決してわからないかもしれない。日本語を使いこなせた日本人がどれほど優れた民族だったたか、百年先の日本人にはとんとわからなくなっているかもしれないのです」

（林秀彦『失われた日本語、失われた日本』草思社）

英語に吸収され、日本語が国語から現地語（日常会話用）となれば、植民地支配されたフィリピンのような国になろう。

言葉と人間の関係に無頓着な愛国心など信じようもないが、「私たちが知っていた日本語とはこんなものではなかった」という人が、少数でも存在する今なら、まだどうにかなるのかもしれない。

## 小学校からの英語教科化は必要ない
## ～福井県教育大綱（案）の修正を求める～

県は今後5年間の教育行政の指針となる教育大綱案をまとめました。

教育大綱は、本年（２０１５年）４月施行の改正地方行政法で、国が義務付けたもので、教育委員らの意見や9月定例県会の議論も踏まえ、10月に策定し、その大綱に基づき、県教育委員会が今後5年間の具体的な施策を盛り込んだ新たな教育振興基本計画を年内に策定するというものです。

教育大綱案では、基本理念として、「ふるさと福井への誇りと愛着を培い、自ら学び考え行動する力を育む教育県・福井」を掲げ、「グローバルな社会で活躍するための『話せる』外国語教育の推進」など10の方針を挙げており、「英語」は「話す」ことに課題があるとし、国が2020年度からとする小学5、6年の英語教科化を2年前倒しして先行実施するとしています。

しかし、そもそも学力低下が叫ばれる中で、日本語もまともに話せない子どもに何ゆえ英語教育なのか。国語教育の充実こそ徹底すべきです。

「小学校から英語を勉強すれば、英語をペラペラ話せるようになる」などというのは、まったく根拠がなく、英語教育の低年齢化による悪影響、英語化がもたらすものが何かという深い洞察力もないまま、小学校から英語を教科化、専科化を推し進めることは大いなる疑問です。

9月定例会に提案された福井県教育大綱（案）、黙っていれば、このまま議会が承認したとみなされるので、小学校からの英語教科化をはじめ、昨今の異常な日本社会の英語化の問題点を指摘し、国語としての日本語教育の充実を求め、9月定例会予算特別委員会(持ち時間1時間)で集中してその修正を求めました。

結果として、10月25日策定された教育大綱は国語教育の充実など追加修正されたものの、小学校からの英語教科化については、国が5年後の導入を決定していることもあり、児童の負担を軽減する立場から段階的に教科化を進めるという趣旨を説明文に追加するという程度にとどまりました。

2000年4月から施行された地方分権一括法により、国と地方は上下主従の関係から対等協力になったはずなのですが、相変わらずの中央集権で、国による計画策定が義務付けされます。

「地方創生」という名で、中央集権政治に唯々諾々と従う姿は悲しい日本の地方自治の実態で、国が「つくれというからつくらされる計画」などつくることが目的で終わります。

「過労死ライン」の超過勤務を余儀なくされる教員の多忙化が指摘されている中で、あれもこれもやろうとして、学校現場に丸投げしても消化できずに混乱を招くだけで、何が「学力日本一」なのか、何を目的としたものか内実が問われます。

以下に、急ピッチで進む英語化の動きと、英語化がもたらす弊害、「この国のゆくえ」

について考えます。

## 〈明治の英語公用語化〉

### 日本を近代化するには英語か、日本語か？

「これからの日本が世界に負けない国づくりをするには、英語を重視しなければならない。初等教育から学校では英語を教授（使用）言語とし、政府機関で用いられる言語も英語にすべきである」

これは、およそ140年前の1870年代に展開された今でいうところの「英語公用語化論」、急先鋒だったのは、のちに初代文部大臣も務めた森有礼（もりありのり）だった。

「英語公用語化論」の気運を盛り上げるため、欧米知識人に応援してもらおうと手紙を送ったりしたが、逆に反対された。

（一）外国人による「英語公用語化」反対論

①「母語を棄て、外国語による近代化を図った国で成功したものなど、ほとんどない。そもそも、英語を日本の『国語』として採用すれば、まず新しい言葉を覚え、それから学問をすることになってしまい、時間に余裕のない大多数の人々が、実質的に学問をすることが難しくなってしまう。
その結果、英語学習に割く時間のふんだんにある少数の特権階級だけがすべての文化を独占することになり、一般大衆との間に大きな格差と断絶が生じてしまうだろう。

たとえ完全に整った国民教育体系をもつとしても、多数の国民に新奇な言語を教え、彼らを相当高い知的レベルにまで引き上げるには大変長い時間を要するでしょう。

もし大衆を啓蒙しようというのであれば、主として母国語を通じて行われなくてはなりません」

②「教育とは、前世代までの伝統の蓄積に立って行われるべきものであり、まったく新しい基礎の上に成り立つものではない」

「教育政策を考えるうえで、変えてよいものと変えてはならないものがあるが、教育で用いる言語は最も変えてはならないものの一つである」

「ある国において普通の人々が用いている日常の『国語』を用いないのであれば、その国に教育が普及することなどあり得ない。

たとえ明治初期の今、日本語で西洋の学問を講じるのが難しくとも、将来は日本語で教えられるようにならなければ、全国に教育が普及するには至らない。将来は日本語で教えるように改めなければならない」

（二）日本国内の反対論

①英語学習には大変な時間がかかり、若者の時間の浪費につながりかねない。

英語は日本語と言語学的に大変異なった言葉である。

それゆえ、日本人の英語学習は非常に骨が折れ、時間がかかる。なすべきこと、学ぶべきことの多い若者の時間が、無駄に費やされる恐れがある。

②英語を公用語化すれば、国の重要問題を論じることができるのが、一握りの特権階級に限られてしまう。

英語学習は困難かつ多大の時間を要するため、英語に習熟できるのは、国民のごく一部の有閑階級に限られる。日々の生活に追われる大多数の一般庶民が英語に習熟することは非常に稀だろう。

したがって、国の諸制度が英語で運営されたり、政治や経済に関する知的な議論が英語でなされたりするようになってしまえば、国民の大多数は、天下国家の重要問題の論議からまったく切り離されてしまう。

近代的な国づくりに国民のごく一部しか問われないことになる。これでは、国民すべての力を結集し、欧米列強に伍していく国づくりを行うことなどできない。

③英語の公用語化が社会を分断し、格差を固定化するという問題だ。

国の重要問題から庶民を切り離すこととなるだけでなく、英語が話せるか否かが経済的格差につながり、豊かな国民と貧しい国民との間の断絶を生む可能性がある。果たして、それが近代日本の目指すべき国家の姿であろうか。

④問題点は英語を公用語化すれば、国民の一体感が失われてしまうことだ。
(福沢諭吉の弟子・馬場辰猪(たつい))

## 学生の英語力低下は社会の進歩

1870~1880年代当時は、日本語で書かれた教科書が存在せず、日本初の大学である東京帝国大学や旧制高校での授業は、外国語で行われていた。

西洋の学問を修めた日本人もほとんどおらず、日本語で教えられる教師がいない。教師の多くはお雇い外国人だった。

その結果、明治の最初期の知識人、例えば岡倉天心や内村鑑三(かんぞう)、新島襄(じょう)などは、ほとんどすべての学問を英語で学んでいた。

必然的にというべきか、この世代の知識人は、英語が非常にうまかったので、この世代を「英語名人世代」と称している。

岡倉天心の『茶の本』や内村鑑三の『代表的日本人』など英語で書かれたものも、英米人が読んでも驚くような名文であることが多い。

やがて、近代的な「国語」としての日本語が徐々にできあがってきた明治半ばになり、翻訳語が定着してくる頃になると、それまで日本の高等教育の場で教員の多数を占めていた、お雇い外国教師が日本人の教師に置き換えられ、明治後半になると、旧制高校や大学といった日本の高等教育機関では、さまざまな科目が外国語ではなく日本語で教授されるようになった。

学問の普及が進み、多くの若者が先進の外来の知識を、原語と格闘するという大きな労苦を経験することなく、日本語で学べるようになったのです。

しかしそれに伴って、先に述べた英語名人世代のような、英米人も驚くほどの語学力を備えた学生が少なくなってきたのです。

当時の新聞などには、「最近の大学生の外国語力の低下は嘆かわしい」といった、現代の日本でも聞かれるような意見がしばしば掲載され、外国語力をどのように向上させるべきかという議論が早くも起こっています。

しかし、これについて、文豪・夏目漱石は、学生の英語力低下は、「日本の教育が正当な順序で発達した結果」で「当然の事」だと断言し、英語で行っていた明治初期の高等教育は「一種の屈辱」だったと言っています。

## 〈誰のための教育改革か〉

### 加速する英語偏重教育

一つ間違えれば、国の独立の維持すら危うかった明治の日本は、英語による日本の近代化、英語の公用語化論を退け、日本語による近代化を選んだことで、危機の時代を乗り切った。

しかし、今また、このような時代に逆戻りするような英語偏重教育が加速している。

２０１３年12月に発表された「グローバル化に対応した英語教育改革実施計画」では、次のような改革が提案されています。

①英語教育の早期化
小学校5年生から英語を正式教科として教え、外国語活動を小学校3年生から開始する。

②オール・イングリッシュ
オール・イングリッシュ方式とは、英語の授業中は英語のみを使用し、日本語を原則的に禁止するというものだ。

オール・イングリッシュ方式の授業は、高校ではすでに導入されていて、この授業方式の開始を中学校1年生にまで引き下げようというのだ。

中学・高校の英語の授業は、日本語を使わず、英語のみで行うということ。単語や文法の説明もすべて英語で行うことが望ましいとされている。

③大学の授業の5割を英語で
大学を核とした産業競争力強化プランとして「グローバル人材の育成」を挙げ、大学の授業の英語化を早急に進めることが提案され、授業の英語化の数値目標を、一流とされる大学は、今後、10年のうちに5割以上の授業を日本語ではなく、英語で行うようにすべき

だとしています。

「スーパーグローバル大学創成支援」とは、認定した大学には1校につき最大50億円（10年間）の補助金を与える、というプロジェクトです。

**図表1　スーパーグローバル大学に認定された37大学**

| タイプA　トップ型（年間4億2000万円～5億円の補助） | |
|---|---|
| 国立 | 北海道大、東北大、筑波大、東京大、東京医科歯科大<br>東京工業大、名古屋大、京都大、大阪大、広島大、九州大 |
| 私立 | 慶應義塾大、早稲田大 |

| タイプB　グローバル化牽引型（年間1億7000万円～3億円の補助） | |
|---|---|
| 国立 | 千葉大、東京外国語大、東京芸術大、長岡技術科学大、金沢大<br>豊橋技術科学大、京都工芸繊維大、奈良先端科学技術大学院大<br>岡山大、熊本大 |
| 公立 | 会津大、国際教養大 |
| 私立 | 国際基督教大、芝浦工業大、上智大、東洋大、法政大、明治大<br>立教大、創価大、国際大、立命館大、関西学院大、<br>立命館アジア太平洋大 |

英語で行う授業数が多ければ、多くの補助金が配分されます。

まるで、日本語で勉強していれば、取り残され、一流でなくなってしまうという強迫観念にかられているかのようです。

この英語化の経緯が実に本末転倒で、優秀な留学生を海外から集めるために、外国人留学生の日本語能力は問わず、留学生獲得のために日本人が英語で授業を受けることになったということです。

これでは日本の知の最先端の場から日本語を

撤退させ、その分を英語にするようなものです。

## 人文社会系にしわ寄せ

スーパーグローバル大学の補助金等を限られた財源からひねり出すために、事実上しわ寄せを受けるのが、日本の「国際競争力」の増進に寄与しないと断定された国立大学の人文社会系の各学部です。

文科省は、理系強化という政府の成長戦略に沿わない文系学部の統廃合を要請する通知を２０１５年6月に全国の国立大学に行いました。

当然ながら、人々の教養の基礎となる人文社会系の学問をないがしろにするような決定は、現場教員を含め、広く国民各層の声を聞き、熟慮すべき重大問題であるが、「効率化された」現在の日本の政治状況では、こうした独断的決定が、すんなり通ってしまう可能性が高いのです。

## 小学校英語の「教科化・専科化」の反対理由

①原理的理由

小学校から英語教育を始めても、その主たる狙いである、子どもたちの英語運用能力を育成することにはならず、逆に、今以上に英語嫌いを生み出してしまう可能性が高いということです。

日本で英語を学ぶのは外国語学習（つまり、生活言語として英語が使われていない環境で、限られた時間と方法で接しながら、英語を学んでいく）であり、英語の発音や文法をきちんと「学ぶ」必要があります。

その中でも、文法を学ぶには一定の知的発達が前提となり、その意味で、中学校入学時に英語の学習を開始するのが望ましいといえます。

小学校では、まず母語という、心の基盤をきちんと築いておくことが必要です。

本当の意味で英語が使える日本人というのは母文化である日本文化と母語である日本語

の基盤がきちんとできている人であり、それがなく、ただ、ベラベラと話せるというだけでは英語が単なる根無し草になってしまいます。

その意味で、小学校教育というのは日本文化や日本語の基盤をきちんと整備すべき期間であって、中途半端に英語を導入することは根無し草状態の子どもを生み出してしまう危険性があります。

言葉は心の働きを支える重要な仕組みですが、母語の場合は意図されることもなく、意識されることもなく、自然に身についてしまうことから、第二言語や外国語の場合も、それらに触れていれば、自然に身についてしまうものと錯覚してしまいがちです。

「小学校英語」というと新たな試みのように思いますが、すでに私立小学校では、100年以上の歴史を持つものや半世紀を超す伝統を持つ私立小学校はミッション系を中心にたくさんあり、近年、少子化で「受験生確保」のため、ほとんどが英語教育を導入しているといわれています。

しかし、小学校から英語を学んだ子どものほうが英語学習で効果が上がっているという、客観的・実証的なデータはありません。

日本児童英語教育学会が行った、小学校で英語を学んだ中・高校生と、そうでない中・高校生、849人を対象にした英語技能の熟達度についての調査では、発音・知識・運用力など両者の間に目立った差は出ていません。

同時通訳のパイオニアをはじめ、英語に堪能な人に聞くと、英語の早期教育など受けておらず、普通の家庭に生まれ育って英語に触れたのは中学のときが初めてという人が多い。中学からで十分だし、中学からのほうが成長するなどといわれます。

子どもの学力低下問題を解析せず、さらに小学校の英語教科化をすれば混乱を招くだけです。

②物理的理由

公立小学校の数は約2万1000です。中学校の倍、高等学校の4倍です。もし、小学校に英語教育を導入するのであれば、これまで中学校の先生が担ってきた入門期の指導を小学校の先生が担当することになります。

外国語の指導で最も知識と技術と経験が必要だとされているのが入門期の指導です。

そうした指導をきちんとできる先生を全国の小学校2万1000校に配置できるのでし

ょうか。小中連携など、さまざまな方法を駆使しても、その実現は非常に困難だといわざるをえません。

環境の整備にも膨大な手間とおカネがかかります。現在の経済状況でそんな余裕はないはずです。万が一、それだけの余裕があるというのであれば、中学校と高等学校の英語教育の充実を図るために使うのが常道と考えます。

同時に、見逃してならないのは、小学校英語の教科化を実現すると、学校英語教育全体を再組織化する必要が出てくるということです。単に、従来の体制に小学校英語教育を継ぎ足すというわけにはいきません。

つまるところ、今、小学校英語を教科化・専科化し、充実した入門期指導を行うことができると考えるのはあまりにも非現実的です。なぜなら、人や予算の問題もさることながら、その必然性や導入後の体制についての議論がほとんどなされていないからです。

## 会話重視の失敗

使える英語を測定する試験TOEFL(トーフル)で北朝鮮と並んで日本はアジアの最下位となりました。

日本人が英語が話せないのは、文法中心で会話を重視してこなかったことが原因だとして、コミュニケーション重視への転換をした結果、文法、読解、リスニングの日中韓比較では、すべてにおいて日本は最下位となりました。

これを年代別に見ると、日本だけは年代の高いものほど成績が良い。それは、文法・読解の昔のやり方で学んだ世代で、1989年学習指導要領改訂による「オーラルコミュニケーション」・実践的会話能力重視以後の世代は、アブハチとらずとなって最下位という結果になったのです。

## 中・高6年間で英語が話せないのは当たり前

ピアノが弾けないのは音楽の授業が悪いとか、全国大会に出られないのは体育の教え方が悪いなどとはいわないが、英語だけは、「英語が話せないのは英語の授業が悪い」となって非難の的となってきました。

公立中・高6年間で学ぶといっても、1000授業時間にも満たず、1年に換算すると6日程度です。

日本語と英語の言語の性質が大きく離れていて、しかも日常生活で必要としない環境にあって、それで英語を使えるようになるわけがない。

あくまでも、学校は基礎を教える場所で、それ以上は、個々人の奮闘努力によるものでしかありません。

幼い子が英語塾に通ったりすることはもったいないことです。

惜しみない愛情と豊かな母語によって、しっかりと根を張り、小さな目を大切に育てられれば、自分の力で自分の道を探します。

## 問題は、勉強時間

OECD（経済協力開発機構）2004年調査では、高校生の学校以外での勉強時間は、日本は週6・5時間、韓国は12・7時間と倍。日本青年研究所の調査によると、日本の高校生の平日での家での勉強時間が1日あたり50分に対し、中国は147分で約3倍。

ちなみに1980年の調査では、日本の勉強時間は100分であり、20年間で半減しました。

大学生の勉強時間も、日本は中国や韓国に圧倒的な差をつけられています。

最近はアジアを意識した言葉が競争意識もあらわに頻繁に出てくる。「小学校英語教育」もその流れだが、見習うべきは勉強時間。日本の若者が未来への夢も描けず、意欲もない、という現状が問題です。

## 〈英語化で壊されるもの〉

①思いやりの道徳と「日本らしさ」

言語は単なるツール（道具）ではなく、人々の自己意識、道徳意識にまで影響を及ぼします。

日本では「思いやり」、「気配り」、「譲り合い」の精神があり、他者の気持ちや思いを細やかに察し、他者の観点から自分自身を見つめ、他者に配慮する。自分を表現する場合でも相手との関係によって、言い方が変わるが、英語では一人称代名詞は基本的には「I」しかなく、自分が中心であり、他者との関係よりも自我が独立しています。

母語である日本語も十分に固まっていない小学生の段階での英語教育の導入は、日本語の調和型か、英語の自己主張型か、子どもの安定した自己認識、道徳の形成を妨げる恐れがあります。

②「ものづくり」を支える創造性

経済力や、そこからもたらされる経済的豊かさも、多くの日本人が日本の良さや強みとして挙げるものだ。

英語化を推進する人々は、日本の経済的強さの復活のカギはいっそうのグローバル化にあり、その具体的方策の一つとして英語化があると主張しますが、冷静に考えてみれば、一国の英語力と経済力の間に特段の相関関係はありません。

例えば、ＧＤＰの上位５ヶ国は、アメリカ、中国、日本、ドイツ、フランスです。

他方、英語を公用語の一つに加え、日本よりも英語が堪能な人々が数多くいるフィリピンなどのアジア諸国、あるいはケニアなどのアフリカ諸国は、さほどの経済力を備えていません。

常識的に考えて、経済力のある国とは、「英語力のある国」ではなく、「自国の言葉をしっかり守り、発展させてきた国」といったほうがよいでしょう。

さまざまな産業の中でも、日本の高いGDPを牽引してきたのはいうまでもなく製造業です。この「ものづくり」の根幹をなす創造性と母語のつながりをもっと意識すべきです。

意外に感じるかもしれませんが、日本人の創造性は、海外から高く評価されています。

2012年の春に、アメリカのソフト企業アドビ社が日・米・英・独・仏5ヶ国の18歳以上の成人各1000人ずつ計5000人に対して行った調査では、最も創造性の高い都市は東京であり、国は日本であるという回答が得られています。

また、イギリスの「エコノミスト誌の国際技術革新力調査」でも、日本がここ数年トップを占めています。

韓国の新聞『韓国日報』が、自然科学分野で日本人のノーベル賞受賞者は続出する一方で、韓国人の受賞者がいない（韓国人の受賞者は2000年の金大中氏のみで、部門も平和賞だった）のはなぜか、というテーマの論評を載せたことがあります。

日本では、明治以来、西洋の自然科学概念を日本語に訳してきました。そのおかげで、日本人にとって世界的水準で思考するということは世界で一番深く思考するということであり、英語で思考するということではなくなりました。

他方、韓国では「名門大学であればあるほど、理学部・工学部・医学部の物理・科学・生理学などの基礎分野に英語教材が使われる。内容理解だけでも不足な時間に外国語の負担まで重なっては、韓国語で学ぶ場合に比べると半分も学べません。

教授たちは、基礎科学分野の名著がまともに翻訳されていないからだと言いますが、このように原書で教えていては翻訳する意味がありません。

韓国語なら10冊読めるであろう専攻書籍を、1冊把握することも手に負えないから、基本の面で韓国の大学生たちが日本の大学生たちより遅れるのは当然です。

ノーベル物理学賞を受賞した益川敏英氏も、中国と韓国を訪問した際、なぜアジアで日本だけが次々と受賞者を輩出しているのかという彼らの問いにぶつかり、母語で専門書を読むことができる日本の優位性をしみじみ感じたという。そして、英語偏重教育に疑問を投げかけ、「専門分野の力がおろそかになったら元も子もない」と懸念を呈しています。

ます。

## 「翻訳」の衰退が招く日本語の「現地語」化

授業の英語化は、日本語の専門用語の発達を阻害し、日本語の「現地語」化をもたらします。

授業を英語化してしまえば、当然ながら、授業で用いるテキストや参考文献も英語の書籍を用いることとなり、外国語で書かれた専門書の邦訳の需要は減ります。

出版不況が続く現在、学術系の出版社の多くは経営的に苦境に陥っており、赤字リスクの少ない書籍しか刊行できないような状況です。

大学の授業の英語化が進めば、日本人の研究者が日本語で執筆し、出版することも同じ理由で難しくなり、結果的にもたらされるのは、日本語が、学術の言葉ではなくなってしまう事態です。

各学問分野の最先端の概念は、日本語に翻訳されず、日本語はそうした専門的語嚢（ごのう）を持たない言語となって、次第に、知的な思考や議論が日本語では行えなくなります。

高度な議論を行うための語彙を備えた「国語」である日本語が、「現地語」へと退化するのだ。

母語での思考こそ、創造性の源泉です。結果的に、大学の授業の英語化は、日本の大学の国際競争力の強化どころか、日本の学術文化の著しい衰退を招くことにつながります。これは文系、理系を問わずにいえることです。そして、学術の劣化と日本語の退化は、実業の世界での創造性にも悪影響を与えることになります。

③良質な中間層と小さい知的格差

ものづくりにも大いに関係するが、日本社会の良さとして、知的レベルが高い良質な中間層の存在があります。

「翻訳」と「土着化」を通じた国づくり、つまり日本語を守り、外来の知に学びつつ日本語を豊かにすることによって近代化を図ってきた果実なのです。

日本において知的格差が小さいことはＯＥＣＤ（経済協力開発機構）が実施した「国際成人力調査」（２０１２年10月公表）でも明らかになっています。

世界24の国と地域の調査結果を比較したところ、日本は「読解力」と「数的思考力」で他国を大きく上回り第1位でした。

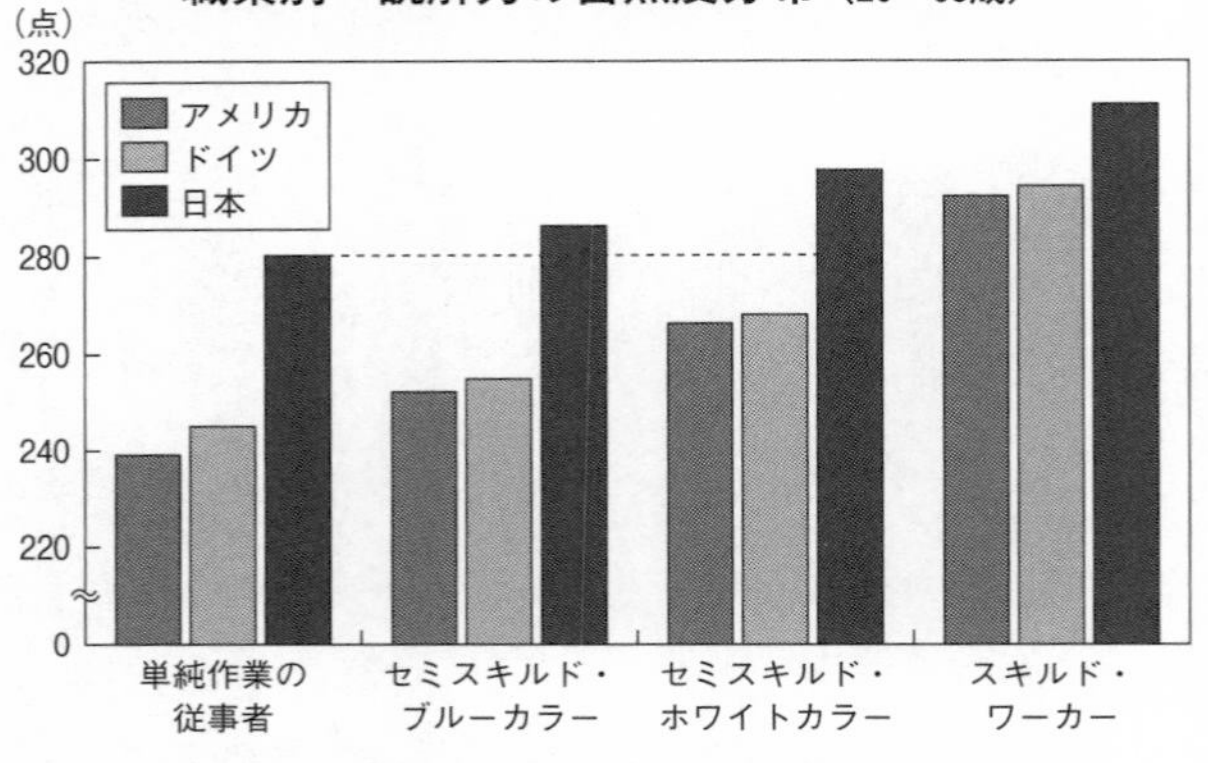

出所：文部科学省「OECD　国際成人力調査　調査結果の概要」

ここで強調したいのは、日本が第1位だったこと以上に、普通の人々のレベルが実に高いという結果が出たことです。

上図にもあるように、「読解力」に関して、なんと日本の「単純作業の従事者」のほうが、アメリカやドイツの「セミスキルド・ホワイトカラー」（事務職、サービスおよび販売従事者、つまり一般的サラリーマン）よりも、点数が高いのです。

良質な中間層の存在は、「翻訳」と「土着化」を通じた近代日本の国づくりの恩恵を受けています。

母語による教育が行き渡っていなかったら、あるいは母語によってさまざまな情報を得ることができるマスコミが発達していなかったら、高水準かつ均質な中間層はつくりえなかったといえます。

④日本語や日本文化に対する自信

オール・イングリッシュ方式の授業の導入だけでなく、小学校からの英語の正式教科化や大学の授業の英語化、企業の英語公用語化などの近年の英語化推進の流れは、まず間違いなく子どもたちに「日本語や日本文化は、英語や英語文化よりも劣っている」という強いイメージを与えることになります。

そう遠くない将来、日本人の多くが、「あの大学は、まだ日本語で授業している。三流大学だな」「社内で日本語が聞かれるようでは一流企業ではない」などと普通に感じるようになるのかもしれません。

しかしそうなってしまったら、法的には独立国家の体裁を保っていたとしても、日本人のものの見方は植民地下に置かれた人々と似たようなものになってしまいます。

英語的な価値観や思考方法こそ先進的でカッコいいと思い込み、日本語や日本的価値観、ひいてはそれを身につけている大多数の日本人を軽く見るようになるのではないでしょうか。

## 〈英米の英語戦略（植民地教育）と英米の利益〉

英語には、外国人とやりとりをする道具という側面と、植民地支配の道具という側面の、二つの面があります。

英語をここまで世界に広めたものは、第一にイギリスによる植民地支配であり、第二には、もともとはその植民地の一つであったアメリカの発展です。

現在、イギリスを中心として主にかつての植民地が構成するイギリス連邦という共同体がありますが、そこに属する国の国民の多くは英語を母語あるいは、第二言語、公用語として使っています。

戦後、英米が協力して英語を世界中に広め、支配的地位を維持するために一連の会議を開き、その後それぞれに言語戦略を進めてきたことなど、ほとんどの人が知りません。

「ブリティッシュ・カウンシル」は、イギリス文化の発信を戦略的に行っている公的な機関ですが、発行した『英語の未来』（デイヴィッド・グラッドル／邦訳：研究社出版）という本では次のように記されているようです。

「すなわち、世界の人々が、母語で教育を受け、生活する権利、つまり『言語権』の考え方に目覚めたり、言語的多様性の保護に意識的になったりすることに、イギリスとしては警戒しなければならない。

もし、各国の人々が『子供が母語で教育を受けることは人権の一つである』と主唱し、『言語権』が人権問題として語られるようになれば、どうなるか。

あるいは、実際の因果関係はどうあれ、『英語の世界的隆盛のせいで少数言語が数多く亡び、言語的多様性が損なわれた』という批判が高まれば、どうなるか」

こうした事態が生じ、英語がやり玉に挙げられることは「悪夢」であり、そうならないようにイギリス英語の「ブランド・イメージ」を慎重に守っていく。

「英語を普及することは、イギリスにとって広大な領土を併合するよりもはるかに永続的で実り多い利益になる」

「イギリスの真の財産は、北海油田でなく英語である」

世界中の人々が英語を国際語と思い、英米英語を学んでくれれば、彼らは莫大な利益が得られます。

そのためにアメリカ・イギリスは、英語を普及させ、英語を国際語にする努力をしてきたのです。

**金銭的なメリット**

①英語の本はよく売れる。世界の出版物の売上の四分の一超を、英語の本が占めている。特にイギリスは出版業界の売上の半分を外国から得ている。

英語は世界中の人々が学んでいるため、英語国は世界中に英語教師を送り出すことができる。ただし、英語ができるなら誰でも世界中で英語教師になれるというわけではない。白人が圧倒的に有利だ。

イギリスの英語教育産業は、教材を輸出したり留学生を受け入れたりすることによって、年間113億ポンド（約2兆円）ほどの利益を上げています。

②アメリカやイギリスは世界中にインターナショナルスクールを送り出すことでも利益を得られます。

２００９年までの8年間で、世界中の英語のインターナショナルスクールの数は3倍以上に増えた。これらのインターナショナルスクールが、２００９年には１８０億ドル（約2兆円）の利益を上げており、２０２０年にはさらに倍増すると見込まれています。

③アメリカは映画や音楽やテレビ番組やＤＶＤソフトが年間80億ドル（約1兆円）ほど輸出超過で、音楽の輸出だけで年間１４０億ドル（約１兆７０００億円）稼いでいます。

④イギリスは、本と映画とテレビ番組の輸出で年間50億ポンド（約９０００億円）の利益を上げています。

⑤学術的には大きな疑念が持たれているオール・イングリッシュ方式を受け入れることは、日本の教育関連市場を開放し、アメリカやイギリスなど英語国の英語教育関連企業の日本市場への投資拡大を促すよい口実になります。

⑥ＴＯＥＦＬ（トーフル）という利権

日本の大学入試の受験者、および国家公務員総合職試験の受験者は、毎年約65万人に上る。ＴＯＥＦＬの試験は、数回受験して一番良いスコアを提出すればよいという形式をとっているため、受験生は平均して2〜3回は試験を受けることになります。

ＴＯＥＦＬの1回の受験料は、約2万7600円（230ドル）。これを人数と回数に掛け算するだけでも、数百億円の巨額の受験料が、毎年、日本からアメリカに流れることがわかります。

ＴＯＥＦＬ受験関連の企業進出や著作権の問題もあります。

受験産業が発達した日本であるから、大学入試や国家公務員試験にＴＯＥＦＬが義務付けられるとなれば、内外の多くの出版社や予備校が高校生向けのＴＯＥＦＬ対策の参考書や問題集を作成する。その作成のために、過去のＴＯＥＦＬの問題を使ったりすれば当然、著作権料も発生する。これも莫大な額になります。

また、日本の中学や高校、大学には、ＴＯＥＦＬ受験のノウハウを蓄積した教師は少ない。私立学校を中心に、ＴＯＥＦＬ受験のノウハウを備えた教育産業と学校との連携が進み、多くのビジネスの機会が生まれます。

加えて、インターネット産業にもビジネスの機会が期待できる。ＴＯＥＦＬは、インターネット経由でコンピューター受験する試験である。それゆえ、TOEFLが、日本の多くの受験生に義務付けられるようになれば、対策サイトや対策ソフトの開発など、内外のインターネット関連企業にとっても、大きな収入源となる可能性があります。

⑦また、アメリカは、非英語国のように外国語教育に費用をかけなくてすむことで、年間160億ドル（約1兆9000万円）得していると推計されています。

## 〈英語支配の序列構造〉

筑波大学で言語政策などを講じていた津田幸男氏は、英語化の進展は、世界を不当な「英語支配の序列構造」のもとに落とし込んでしまうと警鐘を鳴らしています。

その図によれば、一番の頂点に来るのは、アメリカやイギリス、オーストラリアなど英語を母語とする国々の国民、この頂点の層が「特権表現階級」。

内容の優劣はともかく、ことコミュニケーションに関する限り、英語のネイティブ話者は、常に強者となり、特権階級でいることができる。

また、それぞれの言語には、自己認識や道徳意識といった面で文化的特徴が付着する。これらについても、英語を母語とする者の見方が、世界標準になる。この点でも、英語は一方的に恵まれた特権的存在となります。

二番目の層は、「中流表現階級」。

この階級には、英語を第二公用語として使う世界中の人々が当てはまる。旧イギリス植民地諸国（インド、マレーシア、ケニアなど）の人々、アメリカの占領下にあった諸国（フィリピン、プエルトリコなど）の人々です。

英語母語話者からなる「特権表現階級」と、英語を第二公用語として用いる「中流表現階級」とを合わせると10億人ほどになります。この10億人が世界の残りの50億人を言語的に支配します。

英語支配の序列構造

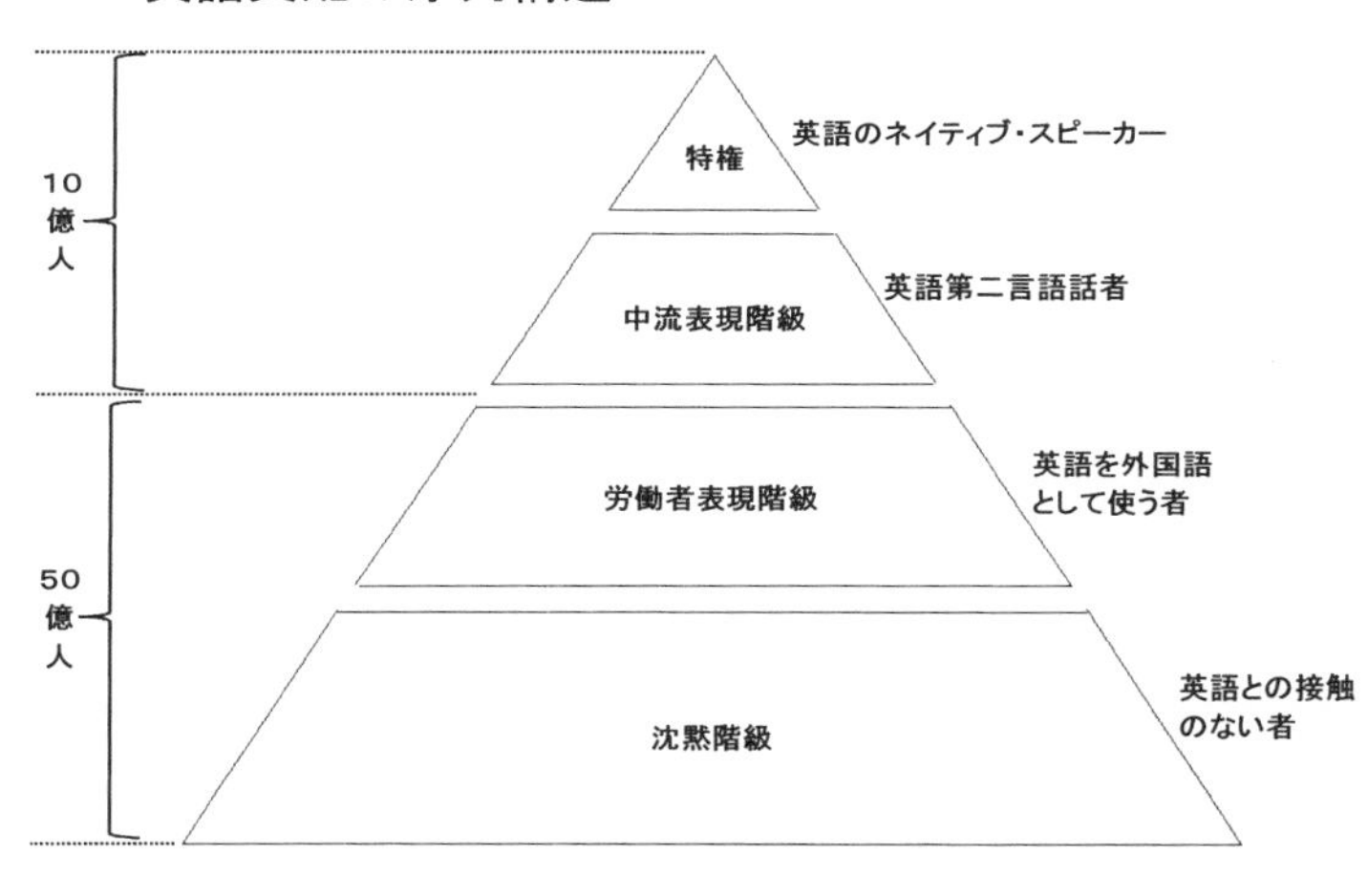


第三の層は、「英語学習」という労働を生涯強いられる「労働者表現階級」です。中国でいえば、日本やドイツ、フランス、中国、韓国、タイなどの国民がこれに当たります。英語を学校で学ぶ人々といってもよいでしょう。

しかし、この階級は、その英語力の低さゆえに、コミュニケーションでは常に「特権表現階級」「中流表現階級」に抑圧される運命にあります。

外交、ビジネス、学術などの各分野のコミュニケーションにおいて、上位の階級の者に主導権を振られ、劣位に甘んじざるをえません。それでいて、ニュースや学術論文、小説などを英語で発表し、母語の文化ではなく、英語文化を豊かにすることを強いられる。つまり搾取され続けるのです。

この序列構造の最下層は、「沈黙階級」である。英語と接触することがほとんどない人々のことです。

国でいえば、反米的なイスラム諸国や北朝鮮などがこれに当たり、あえて英語を使わず、むしろ意図的に英語の情報を排除しようとする国々の人々です。

こうした人々の声は、国際的に伝わりにくいため、「沈黙階級」と称されているのです。

このように、世界的に英語化が推し進められた社会では、ただ「英語が自由に使いこなせるか否か」という基準だけで、厳然たる階層化が発生します。

世界の政治経済や学術、文化への貢献度などといった実のある指標は度外視され、国民が英語に習熟してきたかどうかという点だけで地位が決まってしまう極めて不公正な世界秩序が、そこに立ち現れます。

## 英語では勝てない

英語化が進む世界の中では、日本は、「英語支配の序列構造」の中で非常に不利な立場に甘んじなければなりません。

現在の日本は、アメリカ主導のグローバル化や英語化の流れを前提に、その中で日本の位置をできる限り高め、グローバル化した世界でビジネスや国際政治、あるいは学術分野における競争に勝ち抜き、日本が世界で主導権を発揮していこうとしていますが、これは明らかに無理です。

日本人が母語ではない英語で、英語を母語とするアメリカなどの英語圏の人々と各分野で本気で勝負したとしても、勝てる者はほとんどいません。

いうまでもなく、外国語で活動する場合、母語で活動する場合に比べ、労力も時間も大変にかかるものだからです。

また、企業などの組織運営の過程や、思考力の基礎になる教育・研究の過程を外国語で行うようになれば、当然ながら、大部分の組織や人々は、自分たちの潜在能力を十分に発達させ、発揮できるまでには至らない。組織運営や思考の基礎は母語であり、その基礎が奪われてしまえば、骨抜きにされてしまいます。

## 英語教育改革の狙い

英語偏重の教育改革は、かつてなく危険な状況となっています。子どもの将来や日本の学術や文化の発展を考慮することもなく、過去の歴史的経緯を知ることもなく、新自由主義的なビジネスの論理一色に染まり、財界の意を受けた政府の主導でやみくもに改革が進められています。

ここ20年ほどの間に、市場経済を絶対視する「新自由主義」の考え方が広まり、公的部門の「効率化」が進みました。「効率化」と言えば聞こえはよいが、その実、現場からの多様な声を聞く、民主的意思決定のプロセスの切り捨てです。

多くの政治学者が指摘していますが、新自由主義の考え方では、多様な意見に耳を傾け審議を進める民主的プロセスを軽視する傾向が顕著です。

合理的な制度や政策とは、効率性の観点から経済学的におのずと決まってくるので、多様な意見を聞き、審議を進める民主的プロセスなど必要ない、と断定してしまうからです。

大学でいえば、２００４年に国立大学が法人化されました。大学運営の予算は、競争的資金の割合が大幅に増え、競争的資金以外の予算は年々減額されています。

２０１４年には学校教育法の改正があり、教授会の権限は大幅に削られ、実質上、教員人事などの大学運営には口出しできなくなりました。

新自由主義の思想はそもそも、各々の国の歴史や文化、発展段階などを考慮に入れず、世界を単一のグローバル市場にまとめ、その中で一部の投資家や経営者が自分の利益を最大化することを、正当な行為として扱います。

そこでは、言語や文化の相違は、資本や人材の移動の「障壁」としか見られない。

そして、現状で最も有力な言語学である英語を用い、英語国の商慣習や文化に他の地域も合わせるべきだとする強い力を生んでしまう。

日本でも、１９９０年代後半以降、新自由主義が半ば公式の経済思想となりました。

その結果として、ビジネスの論理から日本社会、および日本の学校教育の英語化が進められるようになってきました。

ビジネスの論理が英語教育改革に求めている「グローバル人材」とは、一つは、「世界市場を奪取する」ための人材づくり、もう一つの狙いは、「海外投資家に好まれる環境づくり」です。

そのためにまず、日本を英語でビジネスがしやすい国にする、ということが考えられています。

「日本再興戦略　改訂2014」の中には、「英語によるワンストップでの行政対応」を実現するとあり、グローバル企業が英語でさまざまな行政手続きを行えるようにしようとしています。

これに呼応する形で国は、2015年度から国家公務員総合職試験でのTOEFLなど外部の英語試験の活用を開始しました。英語で行政手続きができ、外資が進出しやすい日本市場創設のためだと考えるとわかりやすいものです。

他にも、海外投資家を意識したサービスの提案を国は得々として行っています。

例えば国家戦略特区構想の中には、英語で診療が受けられる医療拠点づくりや、英語で教育が受けられる公立学校の開設、国際バカロレア認定校の設置などを盛り込んでいます。

若者たちに英語を学ばせる第一の目的は、学ぶ若者自身の利益ではなく、資本を持ち込んでくれる海外投資家がビジネスを展開しやすい環境をつくることなのです。

## 〈日本語が最大の非関税障壁〉

### ＴＰＰの本当の恐ろしさ

ＴＰＰ（環太平洋経済連携協定）交渉をめぐつては関税の問題ばかりが大きく取り上げられますが、実はＴＰＰには英語を日本の公用語にしうるという意外な側面があります。

ＴＰＰは、加盟国が自国の企業と外国の企業に同等の条件を保証することを求める条約です。したがって、公共事業の入札の公示を日本語だけで出しては外国企業に不利になるという理由で、英語でも公示しないといけなくなるかもしれない。そうなったら英語は日本の事実上の公用語ということになります。

また、ＴＰＰの中にＩＳＤＳ条項というものがあります。

そこには、外国企業が、ある国の規制のために、その国での企業活動をその国の企業と同じ条件で行えないと判断する場合、その国を訴えて規制をなくさせることができると定められています。

ＴＰＰが妥結されれば、外国企業が、英語が公用語でないせいで企業活動が行えないといって日本を訴えることで、英語が日本の公用語になる可能性もあります。

## Vol.71（2011年11月6日発行）

# だまされる罪

『だまされていた』という一語の持つ便利な効果におぼれて、一切の責任から解放された気でいる多くの人々の安易きわまる態度を見るとき、私は日本国民の将来に対して暗澹たる不安を感ぜざるを得ない。

『だまされていた』といって平気でいられる国民なら、おそらく今後も何度でもだまされるだろう。いや、現在でもすでに別のうそによってだまされ始めているにちがいないのである。

一度だまされたら、二度とだまされまいとする真剣な自己反省と努力がなければ人間が進歩するわけはない」

「だまされたものの罪は、ただ単にだまされたという事実そのものの中にあるのではなく、あんなにも造作なくだまされるほど批判力を失い、思考力を失い、信念を失い、家畜的な盲従に自己の一切をゆだねるようになってしまっていた国民全体の文化的無気力、無自覚、無反省、無責任などが悪の本体なのである」

伊丹万作は『戦争責任者の問題』と題して、戦後、戦争責任（戦犯者の追及）について、みながみな口を揃えて「だまされていた」と責任逃れをすることについて、「だまされた責任」を問うている。

「いたいけな子供たちは何もいいはしないが、もしも彼らが批判の眼を持っていたとしたら、彼らから見た世の大人たちは、一人のこらず戦争責任者に見えるにちがいないのである」

「現在の日本に必要なことは、まず国民全体がだまされたということの意味を本当に理解し、だまされるような脆弱な自分というものを解剖し、分析し、徹底的に自己を改造する努力を始めることである。

こうして私のような性質のものは、まず自己反省の方面に思考を奪われることが急であって、だました側の責任を追求する仕事には必ずしも同様の興味が持てないのである」

## 行き先不明のバスに乗ってはならない

日本は総人口が1億2000万人を超える大市場で、都道府県レベルでもその規模は大きく、特に経済規模でいえば東京都は韓国に、大阪府はオーストリアに、埼玉県はポルトガルに、愛媛県はルクセンブルクに相当し、どの県も世界の上位100ヶ国に入る経済規模（国内総生産＝GDP）を誇っています。

バブル崩壊から20年以上にわたる景気低迷、デフレに直面しているにもかかわらず、これだけの大きな市場があるのです。

TPPに参加する各国は自国通貨を安く誘導して輸出を増大し、景気のテコ入れを図っていますから、通貨が高く購買力のある日本市場はとても魅力的に映ります。各国が虎視眈々と狙っているのは当然でしょう。

日本は輸出大国のように思われますが、日本経済は外需依存ではなく、むしろ内需依存です（ＧＤＰに占める外需依存率〈輸出／ＧＤＰ〉は14・８％と〈06年〉消費大国アメリカ〈７・９％〉に次ぐ低さです。中国は36・６％、ドイツは38・７％。ちなみに、韓国は今や45％となっています）。

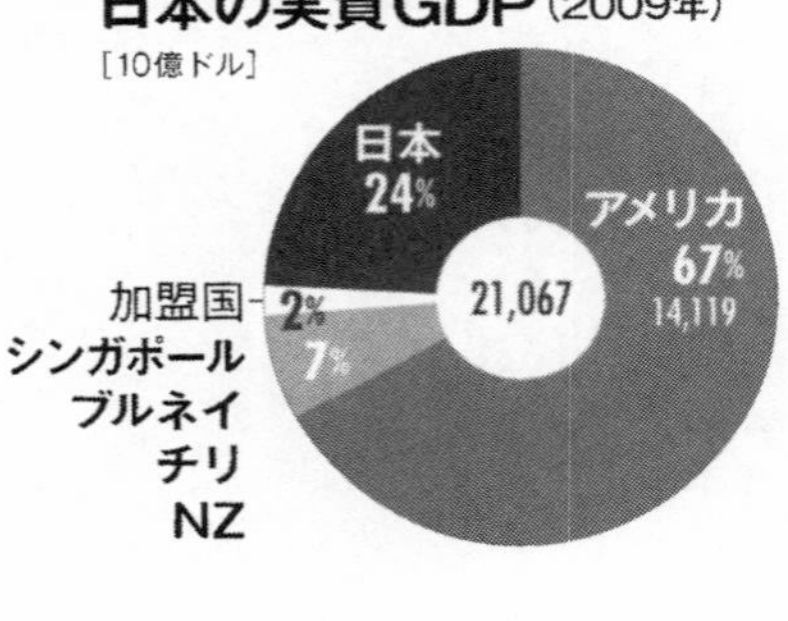


ＴＰＰに参加するかどうか、山場を迎えています。

ＴＰＰ（環太平洋戦略的経済連携協定）といっても、上の円グラフのように、新たにアメリカと日本が加盟すると、加盟国ＧＤＰ合計の91％を占めることになり、実質的にはアメリカと日本の徹底した例外なき関税撤廃交渉ということになります。

すでに、日本はアメリカ以外の国とは二国間協定などを締結済みです。したがって、これは、明らかにアメリカによる対日自由化戦略、輸出倍増計画で、米国の要請に日本が押し切られていると見るべきです。

これは、かつて、アメリカが日本に要求していた「年次要求書」に基づいて実施された郵政民営化路線です。

「食料を自給できない国なんて想像できるか？　それは国際的圧力とリスクに晒される国だ」（第43代ブッシュ大統領）

ＴＰＰで、日本の農業は壊滅します。穀物自給率は３％に下がると試算され、１億を超える人口を抱えながら、主食の自給率はゼロに近い国など国家の自立を放棄したと宣言するようなものです。

戦後の「アメリカ小麦戦略」によって、日本の食生活が大きくアメリカ依存になりました。

食料は、戦略物資です。日本の厳しい食品の残留農薬基準の緩和、遺伝子組み換え食品の表示撤廃など食にまつわる大きな問題が生じます。

また、ＴＰＰでは、輸出関連企業による工業製品と農業問題だけが注目されていますが、医療やサービス分野（金融・投資・労働）など24項目にわたって自由化が求められています。

これは物品の納入から雇用、社会保障、国民皆保険まで、「この国のかたち」を変える大変な問題を起こすと思われます。とりわけ、地方に及ぼす影響は強いと思われます。自由化は人を幸福にしたでしょうか。グローバリズムは、安物競争で、賃金も同様です。

「バスに乗り遅れるな」は、オバマ大統領が言うセリフです。国民にとって重要なのは「自分たちの地域はどうなるのか?」「自分たちの雇用はどうなるのか?」「自分たちの生活はどうなるのか?」といった、生活に密着した視点から考えることだと思います。

そのバスは「不幸行き」かもしれません。だまされてはなりません。

”アグリツーリズモ Nora”のようす ④

## 爺よ、私の乳母車を押せ
## ―「あとがき」にかえて―

母よ――
淡くかなしきもののふるなり
紫陽花(あぢさゐ)いろのもののふるなり
はてしなき並樹のかげを
そうそうと風のふくなり

いつの間にか、孫娘の乳母車を押すことが私の日課となっている。

色鮮やかな紫陽花に出会うと三好達治の「乳母車」という詩を思い出す。

三好達治は、萩原朔太郎の妹、葉子とわが町（福井県坂井市三国町、東尋坊のある町）で新婚生活を送ったゆかりの詩人である。

その一節に「母よ　私の乳母車を押せ」というのがあるせいか、孫をあやしていたはずが、「爺よ　私の乳母車を押せ」と命令口調になってくる。確かに、孫のおかげで、運動不足を解消し、日光に当たってビタミンDを生成し、免疫力を高めている。

そう思って孫に感謝をすると、孫がたたみかけるように、「ならば爺よ、私のために闘え！　私たちの未来のために闘え！」という命令が下る。

「花は桜木、人は武士」

一般的に、花の最期は、変色し、しおれて枯れて散るが、桜花は満開の盛りのときに惜しみなく散る。それが、大事のときに、平気で身を捨てて闘う武士と共通しているということなのかもしれない。

政治家が昔の武士とするならば、通常はいばりくさっていても、いざというとき、民を守るために平然と戦うためにある。

明治維新の志士たちは、命の捨て場を探していたというが、この第三次世界大戦ともいうべきとき、地球人類の歴史が変わろうとするとき、まさに、このときこそわが身の命の捨て場。

山の麓(ふもと)を見ても援軍来たらぬ時は、勇者一人立つとき最も強し。
空は落ちてこない、山より大きい猪は出てこない。

斉藤新緑　さいとう しんりょく

1956年10月１日生まれ　64歳

1975年　県立福井商業高校卒

　　　　福井県労働金庫入庫（16年勤務）

1991年　三国町議会議員就任　34歳

1998年　三国町議会副議長就任

1999年　福井県議会議員就任　42歳

2009年　福井県議会議長就任　52歳

　以後、県議会自民党会派会長、自民党県連幹事長などを経て、
現在　自民党県連会長代行。

2013年　アグリツーリズモ　Nora を開設。

2021年５月　『奪われし日本』（共著、ヒカルランド）を出版。

# 文句はあるか！ 斉藤新緑、爆弾発言！

第一刷 2021年8月31日

著者 斉藤新緑

推薦・序文 船瀬俊介

発行人 石井健資

発行所 株式会社ヒカルランド

〒162-0821 東京都新宿区津久戸町3-11 TH1ビル6F

電話 03-6265-0852 ファックス 03-6265-0853

http://www.hikaruland.co.jp info@hikaruland.co.jp

振替 00180-8-496587

本文・カバー・製本 中央精版印刷株式会社

DTP 株式会社キャップス

編集担当 TakeCO／Maria.H



ISBN978-4-86471-821-9

# 神楽坂ヒカルランド
# 《みらくる Shopping & Healing》
# 大好評営業中!!

宇宙の愛をカタチにする出版社　ヒカルランドがプロデュースしたヒーリングサロン、神楽坂ヒカルランドみらくるは、宇宙の愛と癒しをカタチにしていくヒーリング☆エンターテインメントの殿堂を目指しています。カラダやココロ、魂が喜ぶ波動ヒーリングの逸品機器が、あなたの毎日をハピハピに！ AWG、メタトロン、音響チェア、ブルーライト、ブレインパワートレーナーなどなど……これほどそろっている場所は他にないかもしれません。まさに世界にここだけ、宇宙にここだけの場所。ソマチッドも観察でき、カラダの中の宇宙を体感できます！　専門のスタッフがあなたの好奇心に応え、ぴったりのセラピーをご案内します。セラピーをご希望の方は、ホームページからのご予約のほか、メールで info@hikarulandmarket.com、またはお電話で03-5579-8948へ、ご希望の施術内容、日時、お名前、お電話番号をお知らせくださいませ。あなたにキセキが起こる場所☆神楽坂ヒカルランドみらくるで、みなさまをお待ちしております！

# 高次元営業中！

あの本
この本
ここに来れば
全部ある

**ワクワク・ドキドキ・ハラハラが**
**無限大∞の８コーナー**

ITTERU 本屋
〒162－0805　東京都新宿区矢来町111番地　サンドール神楽坂ビル３Ｆ
１Ｆ／２Ｆ　神楽坂ヒカルランドみらくる
地下鉄東西線神楽坂駅２番出口より徒歩２分
TEL：03-5579-8948